# 이 책에 쏟아진 찬사

"드디어 한국에도 보르헤스, 에코, 푸익, 요사에 버금가는 은유적이고 풍자적인 저항 문학이 등장했다. 전 세계적인 히트작이 될 것이다!"1)
_『뉴요크셔 타임스』2)

"군부독재를 바라보는 8살 어린이의 시선에서 시작되는 성장 소설. 가슴이 웅장해진다."
_『데일리 메일박스』3)

"직업윤리를 실천하다 감옥에 갇힌 검사·변호사·기자·대선 후보자들의 이야기와 동북아의 작은 나라 대한민국의 민주주의 역사가 격자 형식으로 맞물리는 시대적 작품. 절망적인 상황에서도 시종일관 유머와 해학이 마음을 파고들어 눈물을 흘리면서 포복절도하게 되는 걸작."
_CNNY4)

1) Jorge Luis Borges(1899-1986), 역사상 최초로 문학에 모더니즘을 도입한 아르헨티나 출신 소설가 겸 전 세계적으로 추앙받는 천재 예술가; Umberto Eco(1932-2016), 이탈리아의 기호학자, 역사학자, 언어학자, 소설가 겸 민주주의자; Manuel Puig(1932-1990), 아르헨티나의 작가로 전체주의와 독재에 저항하는 다수의 은유적 작품으로 유명; Mario Vargas Llosa(1936- ), 페루의 작가로 독재에 저항하고 전체주의를 풍자하는 사실적인 작품으로 2010년 노벨문학상을 수상. 이하 각주는 모두 저자.
2) 뉴욕에 본사를 둔 『뉴욕 타임스』와 아무런 관계가 없지만 하여간 세계적 일간지다.
3) 런던에 본사를 둔 『데일리 메일』과 아무런 관계가 없지만 세계적인 영향력을 가지고 싶은 일간지다.
4) 애틀랜타에 본사를 둔 CNN과 합병을 꿈꾸지만 아직 꿈만 꾸는 언론사다.

"덜 생겨도 사랑받을 수 있는 비법을 알려주는 새로운 형식의 연애소설."
_『워싱턴 포스트맨』[5]

"불의에 저항하다가 뇌 수술까지 한 저자가 다중 인격 증후군에 시달리면서 끊임없이 집필한 대화체 소설. 독창적이고 참신하고, 신비롭다!"
_『존슨 홉킨스 의대 저널』[6]

"사망한 근로자, 자살한 가장 등 사회의 가장 아픈 곳을 찾아다니던 평범한 주인공이 거악에 맞서 싸우는 장엄한 휴먼 스토리.『레미제라블』이후 이런 작품을 보지 못했다."
_빅토르 휴고 보스[7]

"길고양이 구조와 돌봄 활동 중 영장 없이 감금당한 주인공이 영국에 본사를 둔 출판사 대표와 텔레파시로 대화하면서 회상하는 과거가 문학, 수학, 천문학, 과학, 명리학, 생물학 등 존재하는 모든 과학과 인문학적 지혜를 바탕으로 화려하게 펼쳐지는 미래소설!"
_길고양이 구조자 협의회 구성을 위한 대의원 준비위원회 총무 고영희[8]

"이 책의 원고를 처음 받아 든 순간 잠도 못 자고 밥도 먹기 싫을 정도로 빠져들었다!"
_New Spring Publishing[9] 대표 Gate of Virtue

5) 워싱턴 디씨에 본사는 두지 못하고 벨을 두 번 올리는 포스트맨을 급파해 둔 일간지다.
6) 존스 홉킨스 의대 비뇨기과에서 수술을 받은 환자가 2007년부터 발간하는 세계적 뇌 과학 저널이다.
7) Victor Hugo Boss(1802-), 프랑스의 작가였다가 사망 거부 증후군으로 현재 세계적 패션 브랜드를 운영 중인 인물이다.
8) 매우 유명한 분이다.
9) 국내 명작의 영어 번역을 통해 무수한 부커상과 노벨상을 노리는 세계적 출판사다.

# 초록 대리석

# 초록 대리석

진혜원 장편소설

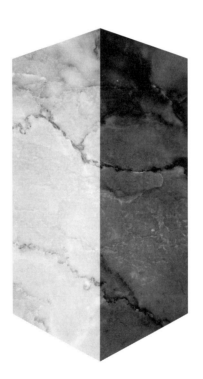

Green Marble

한길사

# 작가 노트

『초록 대리석』은 저자가 뇌암과 그 수술 후 다중 인격 장애를 앓는 와중에 본인의 제7자아, 제16자아, 제44자아, 제66자아가 들려준 이야기를 문학 형식으로 엮은 책이다.

자아들 중에는 움베르토 에코만 좋아하는 자아가 있고, 알랭드 보통만 좋아하는 자아도 있고, 마누엘 푸익과 마이클 잭슨을 좋아하는 자아, 주제 사라마구와 윤흥길에 열광하는 자아 등이 있기 때문에 어떤 자아는 강하게 드러나고, 다른 자아는 약하게 드러나기는 할지언정 모든 자아를 일관되게 관철하는 장르는 없다는 것이 특성이다.

이 시점에 책을 펴내는 이유는, 자아들이 무한 자기복제를 시작해서 머릿속 인구밀도가 높아지는 바람에 더 이상 개별 자아의 목소리에 집중할 수 없게 될지도 모른다는 우려가 생겼기 때문이다.

여기까지 써놓고 보니, 제27자아가, 지금이 중세시대도 아닌데 왜 저자 본인의 정체를 감추냐는 불만을 제기하는데, 아마 아직 시드니 셸던의 『텔 미 유어 드림』을 안 읽어서 그런 것 같다.

이 책은 자아들이 창작한 순수한 픽션이며, 근대 이후 동북아에 위치한 한 반도 국가와 아무런 현실적 관련성이 없다는 점을 미리 명확히 밝혀두고 싶다.

그러나, 작품이 저자의 손을 떠나면 해석은 독자의 영역이라는 가장 재미있는 일화 하나를 소개하면서 작가 노트를 마무리한다.

노벨 문학상을 수상한 페루의 작가 마리오 바르가스 요사의 최초 작품 『도시와 개들』의 원고를 받아 본 편집자와 저자의 대화다.


편집자: 재규어가 리카르도를 죽인 건 재규어다운 행위였어요.

저자: 재규어는 리카르도를 죽이지 않았어요.

편집자: 작가님, 재규어를 모르시는군요.

**초록 대리석**

# 1부
# 지인들

# 독방에서 머릿속으로 쓴 책

• 에필로그

 

지금 우리들은 모두 독방에 있다. 우리들이 누군지는 떠오르는 대로 알려주겠다. 다른 친구들은 어디 있는지 소식을 듣지 못한 지 꽤 됐다. 서서히 그렇게 됐다. 갑자기 왜 에필로그로 시작하느냐는 질문이 들린다. 다 쓰고 나니까 맨 앞에 덧붙이고 싶은 말이 생겨서 그렇게 됐다. 앞으로는 따지지 말아주기 바란다.

나중에 차차 얘기가 나오겠지만, 나는 두개골을 열기 전에 마누엘 푸익을 읽었다. 두개골을 열기 전에는 주로 픽션을 읽었고, 그 후에는 주로 논픽션을 읽었는데, 아무래도 열기 전에 읽은 책들이 좀더 기억에 깊이 남는다. 그렇다고 두개골 열기 전에는 픽션만 읽고, 열고 난 다음에는 논픽션만 읽었다는 뜻은 아니다.

푸익을 특별히 좋아하게 된 계기는 『거미여인의 키스』때문이다. 두 남자가 감옥 한 칸에 갇혀 있는데, 한 사람은 공화주의자, 다른 사람은 공화주의자를 염탐하는 임무를 맡은 동성애자다. 줄거리가 중요하지는 않다. 감옥에 갇힌 사람들이 결국 각기 다른 방법으로 죽는다는 것이 중요하다. 이 시점에 그 책이 떠오르다니.

여기는 종이와 필기구가 없다. 그러면 이 글을 어떻게 쓰고 있냐는 질문이 제기된다. 『기적의 도서관』을 생각하면 된다. 한국에서 논술형 사법시험을 보기 직전에 시간이 좀더 주어지면 좋겠다는 생각을 한 적이 있다. 그 때도 『기적의 도서관』을 생각했다. 그 작품에는 시간이 멈추는 얘기가 잠깐 나오기 때문이다. 다른 얘기도 나온다. 작품을 머릿속에서 쓰고 고치는 얘기다. 『기적의 도서관』에 나온 주인공은 작가인데 반란 수뢰로 의심받아 잡힌 뒤에 사형을 선고받는다. 다르게 해석할 수도 있다. 그게 문학이니까. 하여간 주인공은 작품을 쓰다가 잡혀서 갇혔다. 이렇게 되고 보니 갑자기 많은 작품들이 한꺼번에 떠오른다. 그리고, 많은 사람도 떠오른다.

이 글은 종이와 필기구 없는 독방에서 머릿속으로 쓴 책이다.

1부

# 지인들

# 아빠

아빠는 돌아가셨다. 십이지장암 1기였는데, 십이지장과 담낭 그리고 췌장을 모두 절제하면 살 수 있다는 설명에 솔깃해 집 근처 대학병원에서 수술한 지 딱 1년 만이었다. 집도의 선생님은 20년 전 아빠의 십이지장염 수술을 해준 박사님이었다. 나는 장례식장에 가지 않았다.

나는 15년째 변사체가 발견되면 장례식장에 찾아가 사망 원인을 간단히 살펴보고 문제가 있어 보이면 부검하자는 의견을 내는 일을 해왔다. 15년간 전국 곳곳의 장례식장이란 장례식장은 다 다녀봤는데 형식적이고, 정형화되고, 진정성 없고 무성의한, 그런 분위기가 대부분이었다.

부검 의견을 내지 않아도 되는 장례식장도 무수히 다녔다. 직장 동료나 선후배의 선친이 세상을 떠나는 일이 잦아지면서 직장에서 마련한 단체버스에 짐짝처럼 실려 장례식장까지 왕복하는, 그런 일정들이었다.

장례식장에는 특유의 분위기가 있다.

현관에는 담배 피우는 사람들이 줄을 서 있고, 조금 더 들어가면 현금인출기가 눈에 띈다. 약간 옆쪽으로는 몇 호실이 어떤 유족들에게 임대됐는지 알려주는 전광판이 있다. 유명 병원 장례식장의 특실 앞에는 보통 회사 회장, 사장, 대학총장, 동창회장, 로터리 회장, 국회의원 등의 리본이 달린 조화가 즐비하다. 건물 이름 자체가 장례식장일 때에는 조화가 없는 가족들도 많다. 장례식장 안으로 들어가면 특유의 육개장 냄새가 코를 찌른다. 조금만 오래 앉아 있기라도 하면 냄새가 옷에 배어들어 페브리즈만으로는 해결이 안 되는 경우도 많다. 가끔 업무 마치고 심야에 뒤늦게 가게 되면 부랴부랴 주섬주섬 챙겨입은 검은 한복이나 상복을 입고 나와 어색하게 조문객을 맞는 유족들을 마주하게 되기도 한다.

장례식장에도 음지와 양지가 있다.

양지는 조문객으로 갔을 때 보는 풍경이다. 조의금도 내야 하고, 유가족들과 인사도 해야 하며, 방명록에 이름도 남겨야 한다. 육개장도 양지의 냄새다. 음지는 그야말로 은밀하게 설치되고, 은밀하게 진행되는 작업이 이루어지는 곳이다. 일 때문에 가게 되면 곧바로 음지로 향한다. 15년차쯤 되니 이제는 장례식장 건물만 봐도 어디가 음지로 향하는 계단인지 참여계장이나 운전원보다 먼저 알아낼 정도가 됐다. 음지에는 무엇보다도 가장 중요한 냉장고가 있다. 망자가 다시 깨어날 것을 대비해 저온냉장을 해두는 것이다. 냉장고 근처에서는 사체 냄새를 지우기 위해 향초를 피워놓는 곳도 있고, 그냥 정육점 실내같은 사체 냄새를 방치하는 곳도 있다.

장례식 음지의 냄새에서도 빈부의 격차가 느껴지는 순간이 가끔 있다. 유명 대학병원의 경우 은은한 향초를 피우는데 알고 보면 나중에 장례식장 임대료에 함께 청구되곤 한다. 부지런한 형사님들 덕에 사체가 냉장고에 들어가기도 전에 냉장고 앞에 먼저 도착하게 되는 때도 있다. 그런 날에는 사체에 염을 하는 분들과 함께 망자에게 먼저 절을 올리고 조용히 사체를 관찰하는데 아직 냉장 처리가 안 되어서인지 부패가 빠르게 진행되는 바람에 냄새가 더 심하게 나기도 한다.

나는 원래 단체생활이나 집단활동을 좋아하지 않는다.

그래서 대학에 입학하고서도 학회나 동아리, 서클에 전혀 가입하지 않았고, MT는 한 번도 가 본 일이 없다. 그런데도 장례식장에는 짐짝처럼 실려 여러 번 가게 됐다. 짐짝처럼 실려 장례식장에 처음 갔던 일이 떠오른다. 연수원 다닐 때 지도교수님 부친상이 있었다. 교수님 부친 장례식장이 지방이어서 일산에서 지방까지 왕복 한나절이 꼬박 걸렸다. 버스 안에서 어린 동기들은 삼육구 게임을 하면서 떠들썩하게 즐거워했고, 대부분은 그냥 잠을 잤다. 장례식장에 가는 길에 게임을 하면서 웃는 건 어떤 의미일까.

이 업계에 접어든 후 처음 간 장례식장이 떠오른다.

영원히 지워지지 않는 끔찍한 인상을 남긴 사건이기도 하다. 지금은 없어졌지만 법률을 내용으로 하는 고시에 합격하면 연수원이라는 과정을 2년 거치는데, 1년이 지나면 6개월간 두 달씩 변호사, 법관, 검사 사무실에서 실무수습을 하게 된다. 나는 3월과 4월에 서초동에 있는 검찰청에서 수습을 하게 됐다. 그 때 한 검사님 방에 배정받았는데, 날렵한 야생 늑대의 인상에 양팔에 털이 북실북실한데도 셔츠 팔을 걷어올리고 종일 일만 하는 분이었다. 그 검사실이 의약을 전담하는 사무실이어서 특이한 사건은 직접 검시를 가야 하는 일이 많았다. 검시 참관은 실무수습 과정에서 꼭 필요한 절차여서 한 건 정도는 같이 가야 했는데, 첫 사건이 그 사건이었다.

가톨릭병원 장례식장에 사체가 보관되어 있었는데, 도착해보니 사체가 이미 냉장고에서 나와 탁자 위에 올려져 있었다. 나란히 누워 있는 태아 사체와 출산하던 산모였다. 기록을 보니 출산하는데 탯줄이 목에 감겨서 아이가 나오지 않았고 그 사이에 산모는 출혈이 심해서 그만 둘 다 사망하고 말았다는 내용이었다. 남편이자 아이 아버지가 영안실 밖에서 안절부절못하는 표정으로 기다리다가 검사님 얼굴을 쳐다봤다. 그 때 검사님이 묵직한 표정으로 고개를 숙이면서 잠시 묵념 비슷한 태도를 보이더니 다시 고개를 들어 남편을 바라봤다. 한마디 말 없이도 슬픔과 애도를 이렇게 표현할 수 있다는 사실에 많은 감동을 받았다. 그 일로 나는 다소 가난해 보여서 속으로는 약간 존중감이 없던 검사님의 매력을 알게 됐다. 그 이후 몇 가지 다른 일로 원래 로펌 변호사를 하려던 계획을 바꿔 이 업계에 정식으로 들어오게 됐다. 아울러 그날 영안실 경험은 내가 임신과 출산을 하지 않기로 결심하게 된 계기가 되기도 했다. 그리고 임신과 출산이라는 공포스럽고 위험한 과정을 모두 겪고도 훌륭하게 사회 활동을 하는 모든 엄마들을 마음 깊이 존경하게 됐다.

처음으로 동기의 장례식장에 간 날도 생각난다.

그 동기는 연수원 같은 반이었는데, 이미 결혼을 했었고, 아주 가끔씩만 수업에 들어왔으며, 체육대회에는 참석하지 않았다. 그 이유는 몸이 좋지 않다는 것이었는데, 워낙 다른 사람 일에는 그러려니 하고 묻지 않는 습관이 있어서 그런가보다 했었다. 그런데 연수원을 졸업하고 이 업계에서 일하다가 그 동기의 장례식장에 갈 거냐는 전화를 받고 얼떨결에 가겠다고 했다. 알고 보니 동기는 오래전부터 암을 앓고 있었다는 것이었다. 그 자리에서 처음으로 그 동기의 배우자 분을 봤는데, 세상을 다 잃은 듯 망연자실한 표정이었다. 연수원 시절 동기는 오랜 병고로 인해 아마도 스테로이드 치료도 받았을 것 같다는 생각이 들었는데 얼굴과 몸과 손이 많이 부어 있었고, 특히 아름답다는 느낌을 주지는 않았었던 것으로 기억났다.

반면, 국내 몇 손가락 안에 드는 로펌 변호사라는 동기의 남편은 훤칠한 외모여서 한눈에도 훈훈해 보였다. 동기가 병을 일이 년 앓았던 것도 아니기 때문에 이미 마음의 준비는 오래전부터 되어 있었을 것 같은데도 장례식장에서 그렇게 소리 없이 눈물을 삼키면서 처연한 표정을 하는 사람은, 그 이후 수백 번 계속되는 장례식 방문에서도 다시는 보지 못해서인지 더 기억에 깊이 남는다.

아, 잠깐.

처음으로 간 동기의 장례식에 대해 혼동이 있었다. 처음으로 간 동기의 장례식은 대학교 때 나랑 같은 과에 다니던 동기였다. 그 때는 삼당 합당이라는 게 그로부터 몇 년 전에 있었다. 삼당 합당이 뭔지 설명하려면 좀 길어진다. 그냥 군사독재자와 민주주의자 리더 둘 중 하나가 나머지 민주주의자를 빼고 통치 기구를 나눠먹기로 한 합의라고 보면 되지 않을까 싶다. 그렇게 해야 했던 이유도 있었을 것이기 때문이다. 그런데 나와 같은 시기에 학교를 다니던 학생들 중 적지 않은 학생들이 삼당 합당에도 반대하고, 변심한 민주주의자가 변심 과정에서 받은 돈이 얼마인지도 공개해야 된다고 주장하면서 학교에서 시위를 했다.

어느 날 군사독재자의 후원을 받은 경찰이 학교에 들어와 학생들을 개 끌 듯이 끌고 갔다. 카프카의 『소송』 마지막 부분에서 개처럼 끌려가서 구덩이에 파묻히는 K가 수백 명이었다고 생각하면 된다. 내 동기도 그 때 사망했다.

아, 잠깐.

그 친구는 내 동기가 아니라 후배였다.

미안하다. 왜 이렇게 오락가락하는지는 조금 뒤에 알려주겠다.

다시 이 업계에 들어온 뒤 처음 갔던 동기의 장례식 부분을 마무리하려고 한다. 그 장례식장은 초라했고, 허름한 장판이 깔려 있었으며, 동기의 남편이 슬픈 얼굴을 하고 있었다.

그로부터 약 1년 뒤에 나도 악성 뇌암 진단을 받았다.

진단을 받고 나서 바로 회사로 가서 병가를 냈고, 가족들에게는 뇌암의 종류에 대한 책을 사달라고 부탁한 뒤, 신랑과 살던 잠원동이 아닌 엄마 아빠 집으로 갔다. 신랑이 감당하기에는 너무 큰 충격일 것 같아서였다. 광화문 교보문고 근처에서 근무하는 언니가 퇴근하는 길에 뇌종양에 관한 책을 많이 사왔고, 책 내용을 보니 신경교종이 아니면 크게 위험하지 않다고 쓰여 있었다. 신경교종만 아니면 좋겠다고 생각했다.

다음 날, 의사인 신랑이 졸업한 병원 신경외과에 찾아가 다시 뇌 촬영을 하고, 주치의 선생님을 만나 병명을 들었는데, 신경교종이라고 했다.

아이쿠.

그 때 내가 가장 좋아했던 시 한 구절이 떠올랐다. 월명사의

「제망매가」인데, 삶과 죽음의 길은 항상 함께 있고, 세상을 떠나는 것은 남아 있는 사람에게는 슬픈 일이지만, 나중에 만나면 된다는 내용의 한시다.

결국, 수술 끝에 세포를 꺼낸 뒤 악성 종양이었다는 사실을 알게 됐다. 외국 논문을 검색해보니 최장 예상 수명이 약 7-8년 정도 되는 것 같았다. 더 짧을 수도 있다는 말이다.

두개골을 열고 처음 눈을 떠서 본 사람들은 엄마와 신랑이었다. 중환자실에서 눈을 뜨자마자 두 사람의 웃는 얼굴이 보였다. 눈을 조금 치켜떴더니 의사 선생님도 보였다. 의사 선생님이 나에게 손가락을 움직여보라고 했는데, 그 순간에 관해 얘기하려면 우리 집 전력을 알아야 한다.

우리 집은 웃겨야만 생존할 수 있다는 원칙이 있다.

그러나 나는 웃기는 얘기를 시작하기도 전에 혼자 뿜는 타입이어서 막상 내가 웃기는 얘기를 꺼낼 때에는 아무도 그 자리에 남아 있지 않았다. 그래서 웃기는 연습을 갈고닦았지만 먼저 뿜는 버릇은 없어지지 않았다.

어쨌든, 그렇게 컸다.

신랑과 엄마 앞에서 손가락을 움직이면 안심하겠지만 그 순간 웃겨야 한다는 사명감에 사로잡혀 그만 또 먼저 뿜어버리고 말았다. 두 사람도 안심한 눈으로 같이 웃었다.

그리고 신체 마비가 조금 더 풀릴 때까지 나 혼자 중환자실에서 며칠 더 있었다. 내가 앓는 뇌암의 후유증은 세포가 손상되는 것이기 때문에 신체 마비도 완전히 정상으로 돌아오지는 않는다는 사실을 중환자실에서는 잘 몰랐다.

그래서 나는 지금도 갑자기 왼쪽 반신이 마비되는 장애가 있다.

뭐, 큰 문제는 아니다.

운전하다가 갑자기 팔다리가 안 움직인다든지, 법정에서 재판을 하는데 갑자기 손이 마비된다든지 하는 정도다. 그러면 큰 문제가 아니겠냐고들 할 수 있다. 뭐, 살다보면 그럴 수도 있기 때문에 큰 문제는 아니라고 할 수 있다. 장애등급은 받았냐고들 하는데, 중환자실에서 빠져나올 궁리만 하느라 다른 생각을 못 했다.

아빠도 수술 후 중환자실에 한 달 넘게 계셨다. 간 일부와 담낭, 췌장, 십이지장을 모두 절제한 후에 소장과 연결하는 것이 무슨 수도관 연결하는 것처럼 간단할 것이라고 생각한 것은 우리들의 큰 착각이었다. 신체는 그렇게 쉽게 회복되지 않는다는 것을 알고 있었는데도 아빠 일은 왜 그렇게 쉽게 생각했을까. 아빠와 나는 내가 철이 들었다고 생각한 이후에는 편하지 않은 관계였다.

엄마는 아주 젊었을 때부터 위장병에 시달렸는데, 그게 엄마가 부잣집 딸이었고 시댁 살림을 하고 싶지 않아 거의 막내인 아빠와 결혼했음에도 할머니가 꽤 자주 우리 집에 오래 머무르면서 엄마에게 스트레스를 준 것 때문일 수도 있다는 사실을 조금씩 커가면서 알았다. 엄마는 위장병 치료를 겸해서 집 근처 산에서 배드민턴 치는 운동을 시작했다. 그런데 아빠는 엄마가 운동을 하는 것이 불만이었다. 엄마가 종일 운동을 하고 늦게 들어오는 날이면 엄마와 아빠는 늘 싸웠다. 나는 엄마가 운동을 하지 않을 때 배가 아프다면서 우는 것을 자주 봤기 때문에 아빠가 엄마의 운동을 좋아하지 않는 것과 그 일로 싸우는 것이 너무 싫었다.

그래서 나는 아빠도 싫었다. 아빠가 나쁜 사람은 아니었다. 나중에 알고 보니 엄마와 아빠는 서로 안 맞는 사이였을 뿐이었다. 그런데도 너무 어렸을 때부터 아빠를 싫어하다보니 더 커서는 아주 어색해졌다.

무수한 장례식장을 다니면서, 공장처럼 돌아가는 장례식장과 냉장고를 보면서, 식장에서 카드놀이를 하고 육개장을 먹는 조문객들을 보면서, 나는 장례식장이라는 효율적 시스템에 환멸을 느꼈다.

그나마 공장 같은 장례 시스템에 편입되지도 못한 두 분이 생각난다.

두 분 모두 산재사고로 사망했다. 한 분은 프레스에 깔렸는데, 작동을 멈춘 프레스기의 전원을 완전히 내리지 않은 상태에서 프레스기 뒤에 빠진 나사를 꺼내려다가 머리 위에서 내려오는 압착기에 그대로 머리와 상체가 눌리는 바람에 사체 수습이 어려워 부검 필요성을 검토하는 현장이 냉장고 앞이 아니라, 프레스기 앞이 되고 말았다.

다른 한 분은 철을 녹이는 용광로를 운영하는 회사에서 근무하다가 용광로에 물건을 넣는 기계가 멈춰버린 것을 고치겠다고 사다리 위로 올라갔다가 실족했다. 내가 현장에 도착했을 때 사체는 이미 용광로 안에서 금나나 임플란트조차도 찾을 수 없이 녹아버린 상태였다. 운영자들은 전원을 끄지 않고 위험한 기계에 접근한 사망자들이 문제라고 주장했다. 그런 사안에서는 유족분들께 할 말이 없다. 말은 늘 의미 없는 공허한 메아리에 불과하기 때문이다.

공장식 장례 시스템에 대한 불만이 조금 더 있다.

고인을 차분히 회상하고 싶은데, 별로 슬프지도 않으면서 자기가 받은 부조금을 되돌려주기 위해 형식적으로 찾아와 얼굴을 내미는 조문객들로부터 채권자마냥 수금하는 행위는 적성에 맞지 않는다는 생각이 든다. 반면 선후배, 동기의 부모님이 영면하시면 가지는 않더라도 부조는 꼭 했다. 특이하게도 범죄피해 혐오증이 있어서 직접 가지 못하게 되는 날에는 중간에 누가 쌔비는 게 싫어 계좌로 이체하는 것이 마음이 편했는데, 계좌번호를 물어보면 다들 좋아하면서 잘 알려줬다.

그렇지만 나는 슬퍼하지도 않을 사람들로부터 수금원처럼 굴고 싶지 않아서 부고도 내지 않고 조문객도 받지 않았다. 모든 생명은 다시 흙으로 돌아가 다른 생명의 양분이 되는 것이며, 빈손으로 와서 빈손으로 떠난다는 원칙에 거창한 의미를 부여하고 싶지 않다.

아직 사망하지 않았는데도 빨리 사망해줬으면 하고 바라는 사람들을 본 일도 있다.

사실, 꽤 자주 봤다.

뇌사자들과 관련된 분야다. 장기이식을 대기하는 환자들과 장기이식 중개기관은 항상 숨죽여가면서 뇌사자들이 사망하는 순간을 기다리고 있다.

그런데 뇌사자에 대한 장기적출 절차는 매우 특이하게도, 이 업계에 종사하는 사람이 승인을 해야만 생명유지 장치를 떼어낼 수 있도록 되어 있다. 나는 정말 가망이 없는 사람인지 확인하기 위해 꼭 직접 찾아가봤다. 잠을 잘 뿐인 사람처럼 보이는데도 이미 안구와 심장과 신장과 혈관이 누구에게 가야 할지 결정되어 있는 경우가 대부분이었다. 장기를 이식하려면 신체 크기와 혈액형이 맞아야 하고, 뇌사 상태의 환자가 전염병 등 다른 질병을 앓고 있지 않아야 한다. 그래서 조건이 맞는 순서대로 순번이 정해져 있다. 장기를 꺼내서 기증하는 데에 돈이 오고 갈 수는 없지만 장기기증 중개 단체에서 기금을 마련해 유족들에게 위로금 명목으로 약간의 사례를 하는 경우는 많이 봤다.

나는 원래 남을 잘 믿지 않기 때문에 내가 뇌사자의 생명유지 장치를 떼어낼 것을 결정할 때 장기가 진짜로 대기 순번대로 환자를 찾아가는지 아니면 돈을 좀더 낼 의사가 있는 부유한 환자를 찾아가는지 확인하고 싶었다. 내가 승인하는 순간 잠을 자듯 평화로운 사람의 신체가 메스에 의해 절단되고, 눈, 심장, 혈관, 폐, 간장, 신장이 차례로 잘려나갈 것이기 때문에, 환자의 죽음이 숭고한 대의와 규칙에 따라 새 주인을 만나야 한다는 신념이 강해서였다.

하루는 새벽에 자다가 전화를 받았는데, 보건복지부 과장이라면서 국내 유명 사설 병원에서 한 환자가 위급한 상태인데, 마침 내가 근무하는 관내 병원에 교통사고 뇌사자가 있으니 급히 생명유지 장치 중단과 장기적출 승인을 해달라는 것이었다.

현재 유명 병원에 입원해 있는 특정인을 위해 다른 사람의 장기를 신속하게 적출할 수 있게 빨리 승인해달라는 전화를 공무원이 한다는 것이 납득되지 않았다. 나는 그 사설 병원 환자가 대기 순번 1순위가 맞는지 확인하기 위해 순번과 순번대로 환자들의 소재지를 알려달라고 했다. 그 과장은 순번뿐만 아니라 환자들의 소재지도 알려줄 수 없다고 했고, 나는 승인할 수 없다고 버텼다. 그러자 그 과장이 내 상사에게 전화해서 빨리 장기를 꺼낼 수 있도록 도장을 찍어줄 다른 사람을 대 달라고 한 것 같다.

나는 그 새벽에 갑자기 그 업무에서 배제됐다.

그 과장이 유명 병원 입원 환자들로부터 뇌물을 받고 다른 사람의 장기적출을 재촉한 것이 아니기를, 장기가 적출된 뇌사자는 실제로 뇌사 환자로서 도저히 회복할 수 없는 상태였기를 진심으로 기원한다. 그렇지 않고서는 생명을 거래한다는 끔찍함으로 인해 잠을 잘 자지 못할 것 같기 때문이다.

장기적출 얘기를 하다 보니 눈앞에서 장기를 적출하는 현장을 봐야 했던 기억도 떠오른다. 통상 자연사한 것 같지 않은 사체는 부검을 해서 사망 원인이 범죄인지 여부를 확인한다. 부검은 법의학을 전공한 의사들이 하는데, 뇌와 장기를 모두 꺼내고 일부를 잘라 약품에 넣어 독극물이나 인체에서 분비되지 않는 화학물질에 중독됐는지 여부를 살펴보고, 장기 보존 상태를 관찰해 사망 시간이나 방법을 알아내기도 하는 과정이다. 부검실은 루치안 프로이트의 그림처럼 차갑고 광적이며, 정육점의 냄새가 난다.

한 번은 길을 가다가 모르는 사람이 휘두르는 장칼에 찔려 응급실로 실려갔다가 부검실로 들어온 피해자 한 사람이 복부에 12cm가 넘는 자상에 따른 과다출혈과 패혈증으로 사망한 사건이 발생했는데, 그 부검 현장을 참관한 일이 있다. 사람이 사망하고 나면 존엄이 사라지고 하나의 고깃덩어리가 되고 마는구나 싶은 슬픈 느낌이 드는 순간이었다.

함께 참관하던 어린 후배는 그만 기절하고 말았다. 아마 알루미늄으로 뒤덮인 실내에 마른 혈액과 소화되고 남은 음식물이 부패한 냄새가 베어낸 살냄새와 섞여 역했기 때문이었을 것 같다.

그렇게 장기가 사라지거나, 조각난 사람들도 다시 봉합되면 장례식장의 냉장고로 들어간다.

사고를 당해 뇌사 상태로 중환자실에 누워 장기가 적출되기를 기다리는 사람들과 정반대의 사람들도 있다.

자살한 사람들이다.

통상 자살 현장에는 수북이 쌓여 있는 우울증 약이나 여기저기 흐트러져 있는 소주병들이 있다. 자살한 사람들도 누가 등을 떠밀어 죽였는지 여부를 확인하기 위해 사체를 살펴봐야 한다.

모든 자살이 다 안타깝지만 특히 기억나는 슬픈 사연이 두 가지 떠오른다. 하나는 어린 치과대학 학생 사건이었는데, 유서가 예쁜 그림으로 되어 있었다. 미술에 재능이 있었음에도 부모님의 강요로 지방 치과대학에 입학했지만 학업을 따라가기가 쉽지 않았던 것 같았다. 우울증 약을 처방해준 사람은 자살한 치대생의 큰아버지였다.

학생은 학교 인근에 있는 오피스텔 12층에서 뛰어내렸다. 아이가 좋아하는 미술을 하는 것보다 우울증 약을 먹여가면서까지 의사가 되도록 만드는 것이 가족들에게 더 기쁜 일이었을까. 학생은 투신하는 과정에서 다른 난간에 부딪히는 바람에 막상 도로에 떨어졌을 때에는 사체 손상이 심하지 않았다. 그 후 티모시 살라메라는 배우가 많이 알려졌는데, 이 배우가 그 때 영안실에 누워 있던 치과대학 학생을 닮았다. 창백하고 여위고 슬픈 표정 그대로다. 그래서 나는 티모시 살라메가 주연한 영화가 모두 명작인데도 집중해서 보기 어려웠다. 그 학생이 창백하게 누워 있던 영안실 냉장고 앞에 맺힌 습기 냄새가 느껴져서다.

사체가 비교적 양호했던 치과대학 학생 외에 다른 자살자들은 고통스러운 과정을 거친다. 마트에서 쉽게 구할 수 있는 빙초산 한 병을 다 마신 사람은 이틀에 걸쳐 식도와 장기가 녹아가는 과정을 지나야 응급실에서 영안실로 실려 온다. 그러면 횟집에서 나는 식초 냄새가 영안실 안을 가득 채운다. 삶이 얼마나 괴로웠으면 피부가 닿자마자 녹아버리는 빙초산 한 병을 끝까지 비울 생각을 했을까.

가끔 물에 빠진 사체가 발견되는 경우도 있는데, 자살인지 타살인지는 주변 CCTV를 통해 확인되지만 사망 경위가 물에 빠진 것이라는 사실을 명확히 하기 위해 부검을 해야 한다. 사람이 물에 빠져서 사망할 때에는 빠진 시간이 언제인지에 따라 상태가 다양하다. 살아 있는 상태에서 물에 빠질 경우 물 속에서 몸부림을 치며 호흡을 하기 때문에 물 속에 있는 이물질과 미생물이 폐를 통해 혈관까지 들어가 번식해서 온몸이 풍선처럼 부어오르고 몸에서는 생선 냄새와 수초 냄새가 함께 난다. 이런 경우 누구인지 얼굴도 알아보기 어렵다.

한 번은 말기암 환자가 가족 없이 혼자 모르핀 주사 과정을 거치다가 자동차 안에서 번개탄을 피우고 자살한 사건을 본 일이 있다. 고통스러울 때 진통제로 연명해야 하는지를 진지하게 고민하게 한 사건이었다. 현재 전 세계적으로 안락사를 허용하는 나라나 주는 몇 되지 않는다. 그래서, 고통이 심해지면 안락사를 예약해야 하는데 대기 순서가 5년은 밀려 있다.

안락사를 허용하면 사설 간병인과 사설 노인요양제도와 중증 환자 치료시설로 운영하는 상업 의료 체계가 무너질 것 같아서 금지하는 것일까.

이곳이 고통받지 않고 편하게 삶을 마감할 권리를 보장하는 나라가 될 수 있을까. 장기가 사라지거나 조각나거나 자살 과정에서 신체가 손상된 사람들도 천국에 들어갈 수 있을까. 아빠가 수술 끝에 담낭, 췌장, 십이지장을 제거한 뒤 계속 회복이 늦어지자 불현듯 그런 생각이 들었다.

아빠의 장례는 성당에서 조용히 가족장으로 마무리할 수도 있었지만 조문객이 많은 다른 가족들은 아빠가 치료받던 병원에서 장례를 치러야 했고, 아빠는 3일간 냉장고에 들어 있다가 서울 외곽에서 한 봉지의 재가 되어 돌아왔다.

나는 장례식장에 가지 않았다.

나는 아빠도 이해할 거라고 생각한다. 내 성격이 아빠를 닮은

면이 많기 때문이다.

아빠 조상은 명나라 대도독이었는데, 임진왜란 때 우리나라를 돕기 위해 많은 수군을 이끌고 와서 이순신 장군과 협동 작전을 펼치고, 전쟁을 승리로 이끄는 데 혁혁한 공을 세웠다. 그렇게 승리를 거둔 후 귀국해서 마침 후금군으로부터 공격당하던 명 조정을 구해냈으나, 그만 당파싸움 중이던 명 조정으로부터 반란을 일으키려 한다는 모함을 받고 비명횡사하고 말았다. 그 과정에서 한 아들이 가족을 이끌고 우리나라 남해안에 정착했는데, 아빠는 그 아들의 후손이다.

지금도 우리나라에 원정 왔던 명나라 대도독의 초상을 보면 날카로운 콧날에 흰 피부, 그리고 부리부리한 눈을 확인할 수 있다. 유전자는 후대에 전달된다.

아빠 후손들은 거의 다 비슷비슷하게 잘생기고 예쁘다는 의미다.

아빠는 경찰관이었던 제일 큰아버지 덕에 유달산 밑 적산가옥에서 유복하게 살다가 서울로 올라와 학교에 다녔고, 일찍 행정고시에 합격했지만, 대통령 선거에서 정전을 일으킨 뒤 투표함을 대량으로 바꿔치라는 지시를 공개적으로 거부하다가 그만 해임되고 말았다. 아빠는 그 때 중앙정보부에 끌려가 죽지 않은 것만으로도 다행이라고 생각한다고 했다.

하지만 그대로 찌그러져 있을 수 없다고 마음먹고 아빠보다

2년 늦게 태어나서 아주 어릴 적에 사망한 동생인 척하고 다시 공무원 시험을 치렀다고 했다. 그 때는 전산 자료가 거의 없어서 아무도 아빠가 다른 사람 행세를 해서 시험에 합격한 사실을 몰랐다고 했다. 그래서 아빠의 이름은 실제 자신의 이름이 아니라고, 그건 비밀이라고 했다. 아빠는, 영원히, 이미 사망한 아빠 동생의 이름으로 남을 것이었다. 그랬던 아빠도 결국 죽음을 피하지 못했다.

# 엄마

나는 어렸을 때 자살을 시도한 일이 두 번 있다. 두 번 모두 엄마를 더는 대면하고 싶지 않아서였다. 엄마는 위가 좋지 않아서 운동을 다녔는데, 아빠는 엄마가 운동을 다니는 것을 싫어했다. 그래서 엄마가 운동 갔다가 늦게 들어오면 엄마와 아빠는 매번 싸웠다. 싸우고 나면 엄마는 나를 혼냈다. 이유는 그때그때 만들어냈다.

나는 그림을 그리는 것을 좋아해서 눈에 띄는 종이마다 그림을 그렸다. 그런데 엄마는 아빠와 싸우고 나면, 그린 그림을 책상 위에 펴놓으면 안 된다느니, 옷걸이 아래 옷이 떨어져 있느니 등 별것 아닌 일에 잔소리했고, 내가 반박하면 더 혼냈다. 한 번 때리기 시작하면 눈이 돌아갈 정도로 정신이 나간 채 계속 때렸다. 그래서 나는 온몸에 피멍이 사라지기 어려운 상태가 됐다. 그래서 나는 반소매나 반바지를 거의 입지 못했다. 학교에서 애들한테 멍 든 이유를 설명하기 부끄러웠기 때문이다.

더 맞기 싫어서 한 번은 방문을 잠그고 목을 매달려고 했는데,

방문에 못을 박으려다가 오빠한테 들켜서 망치를 뺏기는 바람에 실패했다. 그 때는 열두 살이었다.

열두 살 때 나는 걸스카우트 비슷한 모임 단원이었는데, 단원 활동을 하려면 활동비를 내야 했다. 엄마한테 맞았는데 활동비를 달라고 하기가 너무나 자존심이 상했고, 엄마가 저렇게 된 원인을 제공한 아빠와는 말을 하기가 싫어서 결국 돈을 안 내고 활동도 가지 않았다. 그 때부터 남에게 의존하지 않고 경제적으로 자립해야 독립할 수 있겠다는 개념이 생겼다. 그래서 그 때부터 인생의 목표는 그 누구에게도 좌우되지 않는 독립적인 사람이 되는 것이 됐다. 그리고 의견이 다르다고 폭력으로 대응하는 방식에 대한 증오도 그 때부터 생겼던 것으로 기억한다.

두 번째 자살 시도도 비슷한 상황에서였다.

그 때는 대학교에 다닐 때였고, 한겨울 심야였는데 더 이상 맞기 싫어 한강 다리에서 떨어져 익사하려고 밖으로 나가 택시를 탔다. 내가 성산대교 중간에서 내려달라고 하자 택시 기사는 쭈뼛쭈뼛 머뭇거렸지만 4,700원 정도 나온 요금에 만 원을 내면서 잔돈은 됐다고 했더니, 잔돈 문제로 변심할까봐 그랬는지 얼른 가버렸다.

다리 위에서 사뭇 비장하게 강을 바라봤다.

얼음이 둥둥 떠다니고 있었다. 그대로 떨어지면 얼어 죽을 것 같았다. 나는 원래 추위를 많이 타기 때문에 추운 것을 정말 싫어

한다. 익사해야 되는데, 얼어 죽는 것은 경우가 아니지 않나, 그런 생각이 들었다. 그래서 그냥 집에 가야겠다고 마음먹었다. 마침 성산대교 위를 걸어가던 사람이 나를 보면서 말을 걸어왔다.

"죽지 마세요, 인생은 소중한 거예요."

자기도 몇 년 전에 그 자리에서 죽으려고 차에 뛰어들었다가 갈비뼈가 여러 개 골절되고 피부가 찢어졌다면서 윗도리를 올리고서 오른쪽 어깨부터 왼쪽 골반뼈 근처까지 길게 찢긴 수술 자국을 보여줬다. 어차피 얼어 죽지는 않기로 마음먹은 마당이어서 그 사람에게 전화기를 빌려 언니한테 데리러 와달라고 전화를 걸었다. 언니가 데리러 와서, 그 길로 그냥 학교로 가 도서관에서 잤다.

고시에 합격한 후에는 엄마에게 맞지 않았다.

엄마가 나만 때린 것은 아니었다. 나는 오빠, 언니, 동생이 있다. 언니도 때리기는 때렸지만 언니는 맞을 위기에서 항상 도망쳤기 때문에 돌아올 때쯤에는 엄마의 화가 다 풀려 있었고, 자기가 왜 화를 냈는지도 까먹었다. 그래서 언니는 거의 맞지 않았다. 오빠는 특별한 관계가 있어서 내가 아는 한, 한 번도 맞지 않았다. 동생은 어렸을 때는 맞았는데, 약간 철이 든 후 엄마가 때리려고 하자 안방으로 들어가 방문을 잠그고 경찰에 신고했다. 엄마는 그 후로는 동생을 때리지 못했다.

그런 일 외에는 엄마는 나쁜 사람은 아니었다. 그냥 나와 잘 맞

지 않는 면이 많았던 것이라는 사실을 나중에 깨달았다. 대부분
의 시간은 엄마가 근처에 없었고, 아빠와 싸운 뒤에만 혼냈기 때
문이다. 엄마는 원래 음악과 예술을 공부했고, 책도 좋아해서 언
제나 우리들을 서점으로 데려가 전집 한 질씩 고르게 하고, 고른
책을 다 읽으면 또 서점으로 데려가 다른 전집 한 질씩 고르게 했
다. 그러고는 운동을 가고, 합창단 활동을 하고, 봉사활동을 하
고, 친목활동을 했다.

엄마가 거의 집에 없었다는 말이다.

그래서 대부분의 시간은 나 혼자 집에서 책을 읽으면서 보냈
다. 언니와 오빠는 학교에 갔고, 동생은 아직 태어나기 전이었기
때문이다.

혼자 있었을 때 생각이 난다.

어렸을 때 우리 집에는 개들이 있었는데, 집에 혼자 있다가 개
가 먹은 음식을 토하는 것을 봤다. 개는 토한 것을 바로 다시 먹
었다. 그래서 나는 뭔가 먹다가 토하면 다시 먹어야 되는 줄 알았
다. 어느 날 아무도 없을 때 식탁 위에서 마요네즈를 묻힌 양배추
를 발견하고 다 먹었다.

바로 토했다.

그리고 토한 것을 다시 먹고, 전날 저녁에 먹은 것까지 다 토했
다. 그 때 사람은 토한 것을 다시 먹으면 안 된다는 사실을 알았
다. 네 살 때였다.

엄마는 활자로 된 매체는 가리지 않고 사주는 분이었다. 그래서 우리들은『보물섬』『점프』등 만화잡지뿐만 아니라『지옥의 외인부대』『고교 외인부대』『불새의 늪』『아뉴스데이』『갈채』『리니지』등 만화전집도 모두 다 집에서 읽을 수 있었다. 학교 다니면서 우리 집보다 책이 많은 친구는 못 본 것 같은데, 우리 집에 없는 계몽사 책을 가지고 있는 친구가 한 명 있었다. 곧 그 친구와 가장 친해졌다. 책을 많이 읽는 친구들은 사물에 대한 편견이 없다는 사실을 그 때 처음 알았다. 그 때도 열두 살이었다.

엄마한테 그 친구 얘기를 했더니 친구네 집에 있는 것과 똑같은 계몽사 한국위인전집, 세계위인전집도 마저 사줬다.

그 전집에 나온 위인들 중 독특하게 마음을 끌고 지금까지도 잊히지 않는 사람들은 성삼문과 사육신이다. 모두 어린 단종을 쫓아내고 권력을 획득한 삼촌을 추종하는 대신 옳다고 생각하는 일을 하다가 들통나서 잡힌 사람들이다. 책에는 성삼문이 지었다는 한시「절명시」도 실려 있었는데, 아직도 외우고 있을 정도로 감명이 깊었다.


擊鼓催人命
둥둥둥 북소리 울려 내 목숨을 재촉하네
回首日欲斜
머리를 돌려 바라보니 해가 지려 하누나

黃天無一店

저승길에는 주막 하나 없다는데

今夜宿誰家

오늘 밤은 어느 집에서 묵을꼬


책을 많이 읽은 급우 중에 성격이 특이한 아이도 있었다. 다른 사람이 틀린 부분을 지적하는 것을 좋아하는 성격이었는데, 원래 다른 학교에 다니다가 초등학교 때 내가 다니는 학교로 전학왔다. 중학교도 같이 배정됐고, 같은 반에서 내 짝이 됐다. 여러 가지 다양한 주제에 관해서 말이 잘 통해 그 애랑 자주 같이 다녔다. 그 애는 집도 잘 살고 엄마도 미술가여서 옷도 단정했는데 남들이 보는 앞에서 코를 파서 오물을 책상 아래에 묻히는 희한한 행동을 꽤 자주 했다. 한 번은 그 애가 코를 파서 책상에 묻힐 때 뭐하는 중이냐고 물어봤더니 그 다음부터는 그런 행동을 하지 않았다.

풋, 애들이란.

전집 얘기를 하니, 또래보다 숙성됐던 친구네 언니 생각이 난다. 여기서는 성숙했다가 아니라 숙성됐다고 써야 한다. 초등학교 6학년생 치고는 성숙보다 몇 단계 위였기 때문이다.

피아노 학원을 같이 다닌 친구네 집에 간 일이 있다. 그 친구는 자기보다 두 살 많은 언니가 있었다. 친구 언니네 방에 들어갔더니 『시드니 셀던 전집』이 있었다. 습관처럼 책 한 권을 꺼내서 읽기 시작했는데, 제목이 『깊은 밤 깊은 곳에』였다. 좀 읽다보니 매우 야했다. 끝까지 다 읽을 무렵 친구네 언니가 들어와서 나를 발견했다. 내가 책이 재미있다고 하자, 애들이 읽는 책이 아니라고 했는데, 자기도 애였기 때문에 그러려니 했다. 집에 가서 그 전집을 사달라는 말은 차마 하지 못했다. 전부 다 야한 책일 것이라는 직감이 본능적으로 느껴져서였다. 그런데 그 때 우리 집에 이미 『채털리 부인의 사랑』 『양치는 언덕』 같은 책들도 있었기 때문에 사달라고 했으면 사주셨을 수도 있다는 생각이 든다.

『시드니 셀던 전집』은 어른이 된 뒤 예스24에서 중고로 구할 수 있었다. 어른이 된 뒤에 읽어보니 별로 야하지 않았다. 그래도 '전집 증후군'이 이미 발현된 상태였기 때문에 모든 내용이 재미있었다. 처음 읽을 때는 모든 주인공들이 다 젊고 매력적이고, 부유하고 용감하며 지혜롭기 때문에 대단히 유치하게 느껴질 수 있는데, 두 번 읽을 때 보니, 인생이 그렇다는 생각이 들었다. 처음부터 끝까지 주인공이 못생기고 무능하고 가난하고 찌질한 데다가 루저일 때에는 그 작품을 돈 주고 사서 읽을 사람이 거의 없을 것이기 때문이다.

책 외에도 엄마는 음악과 예술의 애호가였다.

아주 어렸을 때 엄마와 같이 종로 골목에서 「장터」라는 제목의 연극 공연을 본 기억이 나고, 태어나기도 전부터 가곡을 들어와서였는지 지금도 라디오에서 가곡이 나오면 어릴 때 살던 집 정원의 꽃들이 비에 젖어 선명해진 가운데 「선구자」「보리밭」「님이 오시는지」「물망초」「사랑」 등 엄마가 친구들과 연습하던 가곡들 생각이 난다.

엄마와 같이 세종문화회관에서 서울시립교향악단이 연주하는 브람스 바이올린 협주곡을 듣던 날도 생각난다. 우선, 연주자가 너무 아름다웠다. 그런데 맨 앞좌석에 앉은 사람이 선물받은 티켓을 소화하기 위한 관객이었는지 연주 도중 코를 골았는데, 독일인 여성 바이올리니스트가 관객을 보면서 부드럽게 미소지었다. 그 때 훌륭한 인품이라는 것이 어떤 것인지 눈으로 보고 느꼈다. 브람스 바이올린 협주곡은 내가 타르티니의, 「악마의 트릴」로 잘못 알고 있던 바로 그 곡이라는 사실도 그날 알았다. 아름다운 여성 연주자는, 그 후 세계적인 명성을 얻지는 못했다.

나중에 암 치료를 받으면서는 엄마와 예술의전당에서 세이지 오자와 지휘로 비엔나 슈타츠오퍼의 「피가로의 결혼」 오페라를 같이 관람한 일도 있다.

세이지 오자와의 지휘 스타일을 아는 사람은 이해하겠지만 그는 지휘할 때 수축하는 듯한 자세를 취한다. 체구가 엄청나게 왜소한데도 계속 더 수축하니까 나중에는 아예 보이지 않는 바람에 웃음을 참느라 힘들어 막상 공연은 제대로 관람하기 어려웠던 기억이 난다.

오자와와 정반대의 스타일로 지휘하는 지휘자도 있다. BBC 심포니 오케스트라의 상임지휘자였는데, 지금은 이름을 까먹었다.

평소 좋아하지만 라이브로 들을 기회가 없었던 서곡 중 글링카의 「루슬란과 류드밀라」가 있다. 광고나 권투시합 시작 전에 자주 나오기 때문에 누구나 한 번 들으면 아는 곡이기도 하고, 신나기 때문에 들으면 기분이 좋아지는 곡이기도 하다.

언니와 함께 예술의전당으로 공연을 보러 갔는데, 보통 서곡은 2시간 프로그램 중 제일 앞부분에 연주한다. 그날 주된 연주곡은 아마도 브람스의 피아노협주곡 2번과 차이콥스키 교향곡 5번이었던 것 같고, 서곡이 「루슬란과 류드밀라」였다. 하필이면 그날은 2층 중앙 자리에서 관람하게 됐다. 한창 연주에 몰입해서 무아지경으로 듣고 있는데 언니가 갑자기 팔을 툭 쳤다. 옆을 봤더니 언니가 싱크로나이즈 스위밍 동작을 하면서 터져나오는 웃음을 참고 있었다.

그 때까지는 전혀 의식을 못 했는데, 다음 곡인 협주곡 준비를 위해 피아노가 이미 무대 위에 올라와 있는 상황에서 지휘자가 클라이맥스 연주를 위해 너무 신이 난 나머지 피아노 아래로 완전히 몸을 숨겼다가 위로 솟구쳐 오르는 지휘 동작을 반복하는 것이 눈에 보였다. 평소처럼 1층에서 봤으면 몰랐을텐데, 지휘자가 하필이면 대머리여서 더욱 광택 나는 머리가 피아노 아래로부터 물보라 치듯 솟구쳐 오르는 모양이 두드러졌다. 그 때부터 웃음이 터져나오는 것을 도저히 참을 수가 없어서 계속 어깨를 들썩이면서 킥킥거리다가 도저히 다른 관객들에게 미안해서 서곡만 듣고 밖으로 나와 나머지는 복도에서 봤다.

이 부분을 대머리에 대한 공격으로 받아들여서는 안 된다.

생물은 'tradeoff'라고 불리는 방법으로, 다른 장점을 결점과 맞바꾸기도 하기 때문이다. 세계 최고의 마초남인 드웨인 존슨이 왜 머리가 없겠는가, 이 말이다.

더 이상의 설명은 생략한다. 하여간, 그날부터 복도에서도 편하게 음악회를 볼 수 있다는 사실을 깨닫고 다음부터는 종종 그렇게 했다. 좁은 좌석에서 30분 넘게 협주곡을 듣고 나면 스틸레토를 신은 발이 아프기 때문이다.

엄마와 함께 처음 갔던 미술관도 생각난다.

덕수궁 현대미술관에서 개최된 상징주의 미술품 전람회였다. 특히 생각나는 작품은 「그녀」라는 그림으로, 구스타프 아돌프 모사가 작가다. 다 벗은 여자가 엄청나게 큰 가슴을 가지고 수만 개의 해골 위에 앉아 있는 모양이었다. 그 때 열한 살이었는데, 그 때부터 왜 남자 화가들은 다 벗은 여자 그림을 많이 그릴까 하는 생각을 계속 해왔다. 나중에 알고 보니, 잘 팔려서였다.

풋, 남자들이란.

「그녀」는 그럼에도 매우 아름답고 매혹적인 작품이다. 모사 또

한 독특하면서도 강렬한 느낌으로 성서와 그리스 고전을 해석한, 멋진 예술가다.

세계관에 대해서, 엄마는 현실주의자였다.

가족 중 현찰의 힘을 가장 잘 아는 분이기도 했으므로, 현찰주의자라고 해도 되겠다. 거래에 능한 사람들이 그러하듯 엄마는 어떤 한 사람이 변하지 않는 확고한 신념을 가지고 있다는 생각을 하지 않았고, 자식들도 모두 신념주의자가 되기보다는 현찰주의자가 되기를 바랐다. 자녀 중 나 혼자 신념주의자로 컸는데, 그럼에도 항상 응원의 현찰을 잊지 않고 챙겨주셨다.

현찰주의 관련해서는 아쉬운 것이 하나 있다. 우리 집에서는 한 사람의 성취를 칭찬해주면 "현찰 필요하냐?"라고 역설적으로 물어보면서 고마움을 표시하는 것이 전통이었는데, 우리가 그 말의 어문저작권을 널리 알리기 전에 어떤 방송 작가가 "얼마면 돼?"를 유행어로 만들었다. 지금이라도 "현찰 필요하냐?"로 어문저작권을 취득해볼까 싶기도 하다.

엄마를 생각하면 떠오르는 일화가 몇 개 더 있다.

엄마는 거의 집에 안 계셨고, 계셨다가도 아빠와 싸우면 나를 때리는 사람이었기 때문에 나는 책을 사러 가거나, 미술관이나 음악회를 갈 때 외에는 엄마와 마주치는 것을 싫어했었다. 그런데, 그 때는 생일이 되면 집에서 파티를 하는 것이 유행이었다. 집에 거의 안 계시기도 하고, 자존심도 상해서 엄마에게 생일파티를 해달라는 말을 하지 않았는데, 언니가 대신 말을 해준 것 같았다. 엄마가 생일날 친구들을 데려와도 된다고 해서 친구들을 데려왔다.

생일파티에도 안 계실 줄 알았던 엄마가 외출을 나가려다가 친구들 앞에서 나를 꼭 안아주면서 애들한테 "우리 오징어 생일이니까 많이들 먹어라" 하고 나갔다. 그 순간, 그간의 분노가 눈 녹듯이 사라지면서 '나도 사랑받는 땅꼬마구나' 하는 생각이 핑 들었다. 그 때의 경험 이후로 나는 구조한 고양이들이 실수를 해도 절대로 혼내지 않고, 되도록 많이 안아주고, 쓰다듬어주고, 예뻐해주려고 노력한다. 사랑받는다는 느낌을 주는 것이 중요하다는 것을 그 순간 깨달았기 때문이다. 그런데 고양이들은 안아주면 도망간다.

훗, 고양이들이란.

엄마가 안아준 얘기를 하니까 다른 일화도 떠오른다. 중학교 다닐 때, 우연히 전교 1등을 한 일이 있었다. 공부를 많이 하는 편은 아니었는데, 책 읽는 것을 워낙 좋아하다보니 교과서만 읽어도 1등을 할 수 있었다. 그 후에도 몇 번 전교 1등을 했다. 그런데, 그러다보니 이게 부담이 됐다. 한 번은 OMR 카드에 정답 번호를 기재하는 방식의 시험에서, 선생님이 나에게 애들이 답지에 제대로 표시했는지 점검하라는 과제를 줬다. 카드 안을 까맣게 채워야 하는데 점만 찍은 애들의 답안지에는 공간을 채워놓으라는 취지였다. 그 때 나는 이미 정답을 다 알고 있었고, 내가 몇 문제 틀렸다는 사실도 알고 있었다. 그래서 다른 아이들 카드를 손질하는 동안 내가 틀린 문제의 카드를 정답만 기재된 카드로 바꿔놓았고, 선생님도 나중에 그 사실을 알게 됐다.

계속 전교 1등을 하고 싶어서 그랬던 건데, 사실은 퇴학을 당할 수도 있는 일이었다.

선생님이 부모님 모시고 오라고 했는데, 초등학교 5학년 생일 파티 이후에도 계속 엄마와 냉랭한 상태여서 그 말을 하기가 어려웠다. 그래도 어쩔 수 없어서 자초지종을 말했더니 엄마가 나를 꼭 안아줬다. 그리고 선생님께 같이 찾아가 엄마가 애를 너무 방치해서 그렇게 됐다고 앞으로는 잘 가르치겠다고 용서를 구했다. 그 일은 그렇게 마무리됐고, 나는 그 때부터 내 힘이 아닌 것으로 얻은 결과에 가치를 두지 않는 성향으로 완전히 변했다.

그리고, 이 업계에 들어와서도 누구나 순간의 욕심으로 실수를 할 수 있다는 사실을 바탕으로 되도록이면 인간의 선한 면을 더 많이 보려고 노력하는 습관을 가지게 됐다.

여기서, 내가 나를 오징어라고 지칭하는 이유를 설명해야겠다. 아빠 후손들이 거의 다 잘생기고 예쁘다는 얘기는 앞에서 했다. '거의'라고 한 이유가 있다. 바로 나 때문이다. 눈이 작고, 얼굴이 평평해서 오징어포를 펼쳐놓은 것처럼 생겼다.

이게 좋아서 고백하는 것이 아니다. 살다보면 받아들여야 하는 현실이 있기 때문에 인정하는 것 뿐이다.

# 오빠

엄마는 가족관계가 복잡했다.

한의사였던 외할아버지가 큰 재산을 모으기도 했고, 결혼을 두 번 하는 바람에 엄마에게는 형제자매가 많았다. 외할머니도 결혼을 두 번 했기 때문에 더 복잡했다. 그 중 엄마는 외할머니가 첫 번째 결혼에서 낳은 독자인, 내 외삼촌과 가장 친했는데 외삼촌 내외가 그만 자동차 사고로 세상을 떠나게 돼서 외할머니의 두 번째 결혼에서 차녀였던 엄마가 외삼촌의 독자인 어린 아들을 맡아 키우게 됐다. 외할머니는 일본에 공부하러 갔다가 일본 인인 첫 번째 남편을 만나 한국으로 같이 돌아왔는데, 식민지 공무원이었던 첫 번째 남편이 그만 장티푸스로 세상을 떠나버리자 많은 유산을 받은 상태에서 우리 엄마의 아빠인 외할아버지를 만나 재혼했다.

말하자면, 오빠는 물려받을 재산이 많았다, 이 말이다.

오빠는 어려서부터 책을 많이 읽었고, 공부도 잘했다. 키도 크고 얼굴도 잘생겨서 미술학원에 나를 데리러 올 때도 여자애들이 오빠 옆에 붙어 있으려고 하는 것이 어린 내 눈에도 보였다. 커가면서는 나보고 오징어냐고 묻는 사람보다 오빠 동생이냐고 묻는 사람이 더 많을 정도였다.

오빠는 집에 있을 때 내가 엄마한테 맞는 것을 보면 조용히 엄마를 말리고 나를 2층에 있는 내 방에 데려다놓곤 했다. 그럴 때마다 참았던 눈물이 핑 쏟아졌다. 오빠는 내가 6학년 때 대학생이었다. 하루는, 아무것도 아닌 일로 엄마가 나를 때리자 오빠는 엄마 팔을 확 잡고 그만하시라고 하고는 나를 번쩍 안아서 내 방에다 데려다줬다.

오빠는 아기 때부터 과학과 관련된 책을 많이 읽고, 집에서 실험도 많이 했는데, 열 살 때인가 배터리의 원리를 알고 싶다면서 큰 배터리에 자기 혀를 가져다댔다가 감전돼서 기절한 일도 있다. 한 번은 중력에 대해 알고 싶다고 하고서 2층 난간에 한 팔로 매달렸다가 마당으로 떨어져서 실려간 일도 있었다.

또 한 번은, 개가 사람을 목소리로 알아보는지 냄새로 알아보는지 확인해보겠다고 평소 밥을 주는 동네 들개가 쓰레기통을 뒤지고 있을 때 옆에 가서 이름을 불렀다가 목을 물려서 병원에 실려간 일도 있었다. 그 때 나는 세 살이었는데 오빠가 응급차에 실려가는 것을 본 동네 어른들이 광견병 걸리면 죽는다고 쑥덕거리는 것을 들었다.

나는 그 때 '광견병'이라는 단어를 처음 들었는데, 뭐든지 새로 알게 되면 좋은 거라고 생각해서 오빠가 광견병에 걸릴 수도 있다는 게 매우 기쁘고 자랑스러웠다.

오빠는 우리들과 나이 차이가 많이 난다는 사실을 이용해서 곧잘 우리들을 속이려고 들기도 했다. 자기는 눈이 내릴 때 눈을 타고 내려왔기 때문에 우리들과 다르게 생긴 것이라고 말했을 때는 진짜인 줄 알았다.

그리고 어렸을 때 자기는 원래 껌이어서 벽에 붙어 있었지만, 그 때 내가 태어나서 집에 들어오는 것을 보고 깜짝 놀라서 떨어지는 바람에 이렇게 사람으로 변했다고도 했다. 그 말을 듣고 나도 오빠처럼 내가 원래 벽에 붙어 있던 껌이었다는 생각이 들었는데, 그렇게 생각하고 나니 벽에 붙어 있다가 가족들이 현관으로 들어오는 모습을 본 기억이 났다. 기억이란 이렇게 왜곡되기도 하고 창작되기도 하는 것 같다.

오빠는 또 엄청나게 말도 안 되는 얘기도 많이 하는 사람이었다. 자기가 다섯 살 때 금붕어를 키웠었는데 하루는 십 분, 그다음 날은 이십 분, 이렇게 조금씩 육지에 내놓고 말을 가르치다가 어느 날은 열두 시간 넘게 꺼내놓고 같이 얘기를 했다는 거였다. 지금은 어디에 있냐고 물어봤더니, 중간에 그만 물에 빠뜨렸더니 익사했다는 거였다.

나는 열세 살 됐을 때 집에 있던 전집 중에 『젊은 느티나무』라는 책을 읽었다. 읽으면서 오빠 생각이 났다. 그리고 그 주인공들이 변태처럼 느껴졌다. 나중에 알고 보니, 친족관계를 불문하고 생후 1년 이내부터 같이 생활하는 정상적인 사람들은 느티나무가 되지 않는다는 연구 결과가 있었다.

『젊은 느티나무』를 생각하니 오빠 생각이 더 난다. 그 책 주인공은 비누 냄새가 나는 사람이다. 오빠는 정반대였다.

오빠는 희한한 강박관념을 가진 시기가 있었다.

오빠가 열두세 살 때 쯤이고, 내가 일곱 살 때 쯤이었던 것 같다. 오빠가 지나간 자리나 오빠 방에서는 항상 정화조 수거하는 자동차 냄새가 났다. 또 방귀 뀌었냐고 물어봤는데, 아니라고 했다. 그 때 오빠가 자기는 목욕을 하거나 속옷을 갈아입으면 시험을 못 보기 때문에 시험 끝날 때까지 속옷을 갈아입을 수 없다고 했다. 그러고는, 앞으로 자기 배에서 나는 꼬르륵 소리는 모두 내 배에서 난 소리로 해줄 테니까 아무한테도 말하지 말라고 했다. 당시 우리들은 배에서 꼬르륵 소리가 나면 이기는 것이어서 나는 무조건 알았다고 하고 아무에게도 말하지 않았다.

한 6개월 그러다가 오빠도 스스로 자기 냄새가 너무 심했다고 생각했는지 속옷을 갈아입었다고 했다. 그리고, 자기 속옷을 보니 너무 더러워서 빨 수도 없을 것 같아서 몰래 버렸다고 했다. 내가 속옷에 구멍은 안 났냐고 물어봤더니 구멍이 났는지 보려면 얼굴 가까이에 대야 하는데, 너무 냄새가 많이 나서 그냥 벗자마자 버렸다고 했다. 어디다 버렸냐고 물었더니 그건 알려줄 수 없다고 했다. 내 방에다 버렸을 것 같아서 한참 방에서 냄새나는 곳을 찾아봤는데 다행히도 없었다. 이제 와서 이 얘기를 공개하는 이유는 오빠가 미국에 살고, 오빠네 가족들은 죄다 미국 사람이어서 한글을 모르기 때문이다.

속옷 얘기를 하니, 언니 생각이 난다.

언니는 나와 두 살 차이다.

언니가 여섯 살 때 쯤의 일이다. 한 번은 엄마가 외출하고 없는 일요일에 아빠가 낮잠을 자고 있었다. 언니가 갑자기 부엌에서 무릎을 꿇고 과일칼을 목에 들이대면서 흐느끼고 있었다. 깜짝 놀라서 왜 그러냐고 물어봤더니 아빠한테 종이인형 사겠다면서 백 원을 달라고 했는데 안 된다고 했다는 것이었다. 그 때는 너무 서러워 보여서 울지 말라고 하면서 같이 울었다. 다행히 언니는 나보고 울지 말라면서 자기는 칼을 쓰지 않겠다고 했다.

그렇지만, 언니는 그대로는 살 수 없다면서 아빠가 잘 때 집을 나가겠다고 하고, 마당에서 나뭇가지를 꺾은 다음에 손수건에 속옷 몇 개를 넣더니 나뭇가지에 괴나리봇짐처럼 싸서 밖으로 나갔다. 언니가 가출한다는 생각에, 인생의 많은 부분을 언니한테 의존하던 나는 너무 슬픈 나머지 현관 앞에서 세상 다 잃은 것처럼 시무룩해 하고 있었다. 그러다가 정신을 차리고 언니를 찾으러 길을 떠나기로 했다. 나가면서 보니까 언니가 속옷이 담긴 괴나리봇짐을 대문 앞에 던져두고 집 근처 전봇대에 고무줄을

묶어놓고 친구들과 고무줄놀이를 하고 있었다.

우리 언니는 그런 사람이다. 아무리 힘든 일이 있어도 바로 잊고 곧바로 명랑해지곤 한다.

언니 얘기는 나중에 더 하려고 한다. 오빠 속옷 냄새 얘기를 하다가 옆길로 샜기 때문이다.

오빠는 뭐든지 만드는 것도 좋아했다.

용돈을 받으면 아카데미 과학에서 나오는 조립식 전투기, 항공모함, 탱크 모형을 사서 조립하곤 했다. 오빠를 따라서 나도 오빠가 사온 모형을 같이 만들곤 했는데, 내가 오빠를 따라하자 오빠는 큰 비행기와 작은 비행기 두 개를 사서 나와 누가 더 빨리 조립하는지 내기를 하곤 했다. 나는 매번 졌지만 오빠는 그래도 그 때마다 잘했다고 머리를 쓰다듬어줬다. 한 번은 건축물이라면서 나무와 아크릴판으로 신기한 모형을 만들기도 했는데, 나중에 알고 보니 그 무렵 외국에서 유행이었던 전면 유리 집 설계도를 만들고 그대로 모형을 완성하는 숙제를 했던 것이었다.

아, 잠깐.

오빠가 만든 집은 그 때 유행한 집이 아니었다. 그 전에 유행한 집이었다. 필립 존슨의 글래스 하우스 말이다.

아, 맞다.

존슨이 글래스 하우스를 처음 만들었을 때는 유행하지 않다가 오빠가 모형을 만들 무렵에 유행한 것이 맞다.

정확해야 한다, 이 말이다.

거두절미하고, 나는 모형 주택 정원에 심을 나무를 구해오라는 지시를 받고 마당에 나가 회양목 나뭇가지를 잎이 달린 채로 꺾어다가 모형의 나무받침에 낸 구멍에 끼웠다. 하나씩 끼울 때마다 오빠가 잘했다고 머리카락을 마구 흩어놓았다. 그게 재미있어서 오빠가 없을 때 나무 밑판에 송곳으로 구멍을 더 내고 회양목 가지를 무더기로 심어놓았다. 나중에는 숲속의 저택이 됐는데, 조경 점수가 높아서 자기가 최우수상을 받았다고 했다. 엄마는 누가 나무를 다 베어냈냐고 화를 냈는데 오빠는 나한테 눈을 찡긋하고서 자기가 했다고 했다. 엄마는 절대로 오빠를 혼내는 법이 없기 때문이었다.

그래도 오빠는 나랑 제일 친했기 때문에 내가 잘못한 것만 자기가 했다고 했다. 언니가 접시를 깨거나 집 안을 어질러놓아서 외출에서 돌아온 엄마가 화를 냈을 때에는 그냥 자기 방으로 냉큼 올라갔기 때문이다.

다시 생각해보니, 나랑 친해서라기보다는 우리 집에서 매를 맞는 사람은 나밖에 없었기 때문에 불쌍해서 그랬을 수 있다.

회양목 가지를 잘라 모형에 심은 얘기를 하다보니 정원에서 다른 풀도 잘라낸 사건이 생각난다.

오빠는 한 달에 한 끼 정도는 라면을 먹었는데, 나도 면 중독이라 오빠가 먹을 때 같이 먹었다. 아빠는 공무원이어서 인사이동이 있을 때마다 집에 난초가 많이 왔었다.

화분은 화원으로 보내고 난초는 정원에 심어두고 키웠다. 난초 옆에는 음식 재료로 쓰다가 남은 파 몇 단도 심어 둔 자리가 있었는데, 얘들이 정원에서는 무성하게 자랐다.

어느 날 오빠가 라면 끓여줄테니 파를 가져오라고 했다. 나이가 어려서 파와 난초 구별을 못 하고 난초를 잘라서 가져갔다. 라면에 난초 잎을 넣으면 향긋하고 국물 맛이 좋다는 사실을 그 때 알았다.

잎이 질겨서 변비도 낫는다. 변비가 있다면 말이다.

없으면 그냥 면만 먹으면 된다.

엄마가 돌아와서 난초 누가 잘랐냐고 화를 냈는데, 오빠가 자기가 잘랐다고 했다.

착한 거짓말쟁이.

오빠는 어렸을 때부터 집에 친구들을 많이 데리고 왔다. 친구들이 대부분 오빠보다 작고 뚱뚱해서 나는 오빠 친구들에게 관심이 없었다. 오빠가 고등학교 다닐 때부터는 친구들을 2층으로 데리고 올 때 오빠가 친구들 등 뒤로 손을 돌려 어깨에 올리는 것을 자주 봤다. 책에서 보니 그것은 자기가 더 우월하다는 인식의 표현이라고 했다. 그런데 오빠는 그것마저도 의식하지 못한 듯 자연스럽게 친구들을 그렇게 대했다. 그러고서는 내 어깨를 양손으로 붙잡고 슬슬 웃으면서 우유랑 빵을 가져오라고 했다. 알고 보니 이것도 자기가 우월하다는 표시라고 했다. 나는 알았다고 하고서 우유와 빵을 가져다줬다. 나는 빵과 우유가 담긴 쟁반을 내려놓고 내 방으로 돌아오기 전에 바닥에 앉아 있는 오빠의 양 볼을 손으로 붙잡고 슬슬 웃으면서 내 커피를 끓여오라고 했다. 그러면 오빠와 친구가 갑자기 뒤집어지면서 낄낄대고 웃었다.

오빠는 공부를 잘해서 지하철 타고 다녀야 되는 대학교에 갔다. 오빠가 대학교에 간 뒤부터는 집으로 데려오는 친구들이 남자가 아니게 됐다. 한 번은 고양이를 찾다가 오빠 방문을 홱 열었는데, 오빠와 어떤 여자가 침대 위에 엉켜 있었다. 영화배우가 아닌 사람들이 실제로 그렇게 있는 모습을 태어나서 처음 봤기 때문에 놀라서 돌처럼 서 있었더니 오빠가 한 눈을 찡긋하고는 일어나서 나를 내보내고 문을 닫았다. 그 다음에는 자주 그래서 그러려니 했다. 장난기가 발동하면 오빠와 여자가 방에 들어간 지 이십 분쯤 지나서 "먹을 거 줘?" 하면서 문을 홱 열었다. 그 때마다 오빠는 웃으면서 "쟤가 장난이 좀 심해" 하고는 여자 위에 이불을 덮어주곤 했다. 나는 그런 모습을 보면서 오빠가 여자들에게 참 다정한 사람이라고 생각했다.

집에는 오빠를 찾는 전화가 하도 많이 오니까 엄마가 2층에 전화를 새로 놔줬다. 한 번은 오빠를 찾는 여자 목소리의 전화가 있었는데, 한밤중이었다. 나는 장난기가 발동해서 여자친구인 것처럼 행세했다.

"꼴두씨 지금 자고 있어요."

전화기 너머 여자는 슬퍼하는 듯한 목소리로 끊었다.

오빠와 오빠를 찾는 여자들, 그리고 그런 여자들을 대하는 오빠의 태도를 보면서 나는 인생의 아이러니를 느꼈다. 그리고, 사랑은 구걸하는 것이 아니라는 진리를 알게 됐다.

오빠는 소신도 특이한 사람이었다.

남들은 공부를 잘하면 의대나 법대를 간다고 했는데, 오빠는 앞으로는 과학자가 세상을 바꿀 것이라고 계속 우겼다. 그리고 졸업하면서 바로 공대 쪽으로 유명한 미국 대학원에 갔다. 오빠는 오빠 부모님이 돌아가시면서 남긴 재산이 많아서 학비나 미국에서 거주할 집 걱정은 하지 않았다. 우리 엄마 아빠는 오빠가 미국에 간다고 할 때 오빠 부모님의 유산을 이용해 오빠 명의로 샀던 건물을 팔아서 모두 오빠 계좌로 넘겨주었다.

오빠는 나중에는 캘리포니아의 공대에 자리를 잡았고 미국 여자와 결혼도 했다. 오빠가 공대에서 연구하면서 한 일은 특이한 소재를 합성하거나 새로 개발된 소재를 분석하는 일이었다. 하루는 젊은 스타트업 회사가 차체를 탄소로 만들면 어떻겠냐는 과제를 주고, 분석비는 주식으로 받을 수 있겠냐고 해서 그러겠다고 했고, 분석 결과를 보내준 일이 있었다고 했다. 그래서 오빠는 테슬라 주주가 됐고, 분석 결과를 보내준 지 17년 만에 2만 배가 넘는 수익률을 올렸다.

결국, 금수저는 만들어지는 것이 아니라 타고나는 것이다.

# 언니

언니와 나는 애증관계에 있다.

언니를 생각하면 가장 먼저 떠오르는 추억은 우리가 나중에 살게 되는 집으로 이사가기 전, 대문 옆에 화장실이 있던 한옥집에서, 언니가 문을 연 채 앉아 인상을 쓰고 있고, 나는 너무 어려서 화장실을 쓰기 어려운 나이였던지 거실에서 바가지 위에 쭈그리고 앉아 언니를 보면서 인상을 쓰던 기억이다. 우리 사이에는 마당 가운데에 둥그렇게 만들어진 꽃밭이 놓여 있었다.

언니가 왜 인상을 쓰고 있었는지는 정원 딸린 양옥집으로 이사간 뒤 여덟 살 때 알았다. 지금은 나았지만 언니는 태어나면서부터 변비 증상이 있었던 것이었다.

내가 인상을 쓴 이유는, 뭐든지 언니를 따라하던 나이였기 때문이다. 언니가 앓던 병이 변비였다는 사실은 나중에 알았는데, 여덟 살 때 부모님이 모두 여행을 가고, 우리끼리만 며칠 남아 있었던 날이 있었다. 언니가 갑자기 집안 일을 봐주는 아주머니에게 자기 응가를 빼달라고 말했다. 아주머니가 깜짝 놀라서 그게 뭐냐고 했더니 언니가 이러이러하게 하는 거라고 말했는데, 아주머니가 갑자기 화를 냈다. 나는 어린 마음에 언니가 응가를 시원하게 못 한다는 것과 그 일로 아주머니한테 혼났다는 것이 속상해서 엄마 아빠가 돌아왔을 때 엄마한테 일렀고, 아주머니는 다른 분으로 바뀌었다.

우리 엄마는 그런 분이다.

언니를 떠올리면 가장 훈훈한 기억이 있다.

언니가 여덟 살 때였는데, 그 무렵 동네에 처음 생긴 아파트에 사는 자기 반 친구 생일잔치에 초대받았다. 그 아파트는 지금은 헐렸지만 다들 정원 있는 이층집 또는 단층집에 사는 동네에 처음 지어진 5층 아파트여서 구경 가는 것도 신기한 경험인 장소였다. 나는 학교도 안 다니고 유치원도 안 다녀서 종일 시간이 많기 때문에 생일잔치에 같이 따라갔는데, 집주인인 언니 친구가 갑자기 나에게 "너는 집에 가" 하는 것이었다. 그러자 언니가 내 손을 잡고, "오징어야 가자" 하면서 그 먼 길을 다시 걸어서 되돌아왔다. 많은 사람이 있는 자리에서 누군가가 나에게 가라고 했을 때 어쩔 줄 몰랐는데 언니가 내 편을 들어줘서 울먹이려다가 말았던 기억이 난다.

우리 언니는 그런 사람이다.

몇 달 뒤에 언니 생일이 됐다. 언니가 친구들을 많이 불렀는데, 그 중에는 나에게 너는 집에 가라고 했던 친구가 보였다. 망설이지 않고 그 친구에게 집에 가라고 했다. 선물은 두고 가라고도 했던 것 같다. 언니가 그 친구 집에서 나올 때 선물을 두고 나왔기 때문이다. 나는 어렸지만 울지 않았는데도 언니 친구는 울면서 갔다.

이런 경험을 되돌아보면, 다른 사람에게 먼저 가해는 하지 않지만 당하면 되갚아주는 성격은 타고난 것 같다는 생각이 든다.

한 번은 초등학교 수업을 마친 토요일에 집에 와 보니 언니가 혼자 거실에서 텔레비전을 보고 있었다. 나는 아이스크림과 과자를 사서 들고 오던 중이어서 언니에게 먹으라고 주고 잠깐 화장실에 갔다 왔는데 그 때는 아직 많이 어려서 혼자서 응가를 잘 닦아내지 못하던 시기였다. 그래서 대충 닦고 거실로 돌아왔는데, 냄새가 많이 날 텐데도 언니가 자기 옆에 나를 앉히는 것을 보고 언니가 따뜻한 사람이라는 것을 다시 알았다.

언니는 또 나보다 더 책을 많이 읽어서 특이한 어휘를 많이 알았다.

다섯 살 때 기억인데, 언니와 나, 내 친구가 모두 언니 방에서 책을 읽다가 언니가 스르르 잠이 들었다. 우리는 모두 언니가 있어야 재미있게 놀 수 있어서 언니를 깨우려고 했다. 그 때 언니가 말했다.

"나 눈 좀 붙일게."

눈을 붙인다니 참 멋진 표현이었다. 그래서 책상에 있던 풀을 가져와서 잠든 언니 눈에 칠을 해줬다가 언니 눈이 안 떠져서 혼 났던 기억이 난다.

우리 집에는 엄마가 모은 음반도 많았는데, 나는 한글도 모르 는 마당에 독일어와 영어로 씌어 있는 음반은 아예 관심도 없었 지만 언니는 하나하나 턴테이블에 올려놓고 들어보거나 테이프 일 경우 카세트에 넣고 틀어놓은 뒤 종일 듣곤 했다. 그 때 듣던 음악이 모차르트의 「사냥」과 하이든의 「황제」가 들어 있는 도이 치 그라마폰의 아마데우스 현악사중주단 연주와 카라얀이 라자 르 베르만과 연주한 차이콥스키 피아노 협주곡 1번이었다.

나중에 언니는 집에 없는 음반을 사러 내 손을 잡고 모래내 음 반 가게에 가서 하나씩 고르기도 했다. 언니가 특히 좋아했던 곡 은 라흐마니노프의 「파가니니 주제에 의한 광시곡」이었고, 언니 덕분에 라흐마니노프를 알게 된 나는 그의 교향곡과 피아노협주 곡 전곡의 애호가가 됐다.

이후 내 취미는 언니 없이도 음반을 사러 다니고, 모으는 것이 됐다. 그리고 음악을 들으면서 그림을 그리는 것을 좋아하게 됐 다. 내가 점점 커가고 언니와 서로 다른 길을 걷게 되면서 언니는 점점 내 의견을 싫어하게 됐지만, 그래도 나는 언니가 음악과 책 그리고 예술에 대한 사랑을 심어준 것이 나에게 영원히 남을 감 정의 샘을 선물해준 것이라고 생각한다.

내가 언니 인생에 도움이 된 일도 하나 있다고 들었다.

그 때 나는 두개골을 연 후유증이 있는지 확인하려고 병원에 있었는데 갑자기 여러 기자들한테서 전화가 와서 병원이라고 했더니 그곳으로 우르르 찾아왔었다. 아마 회사에서 무슨 나쁜 일을 덮으려고 내 두개골 얘기와 전화번호를 언론사에 뿌린 모양이었다.

그런데 그 무렵 언니는 회사에서 안 좋은 일을 겪고 있었다. 언니는 언니 회사에서는 처음으로 영국 외무부 장학금을 받고 유학을 다녀왔고, 영국에서는 브로드캐스팅을 전공했었는데, 마침 언니 회사는 방송 파트를 새로 만들어야 하는 입장이었다. 그래서 언니한테 중책이 맡겨지자 누군가가 인사특혜라고 시비를 걸고 조직적으로 언니를 왕따시키는 분위기였다는 것이다.

나는 병원에 갈 때 우연히 언니네 회사의 맞춤 재킷을 입게 됐었다. 옷감이 좋고 편한 데다가 카키색 목도리와 색이 잘 맞아서였다. 진료와 간이 인터뷰를 마치고 병원 밖으로 나갈 때 언니네 회사 카메라 기자가 보였다. 그래서 장난기가 발동한 나머지 잠깐 불러 세워서 이 재킷이 어디 제품인지 아시겠냐고 물어봤다. 그랬더니 깜짝 놀라면서 자기네 회사 것인데, 어떻게 입고 있냐고 되물었다. 그래서 언니 이름을 알려주고 내가 동생이라고 했다.

업계에 종사하다가 두개골을 연 오징어가 있다는 소식은 나름대로 뉴스여서 언니네 회사에서 삽시간에 소문이 퍼졌고, 마침 내 소식은 그날 하루 특종 비슷한 거여서 언니에 대한 인식도 덩달아 좋아지는 바람에 언니의 상사들이 다시 언니 본연의 능력만을 평가하는 입장으로 돌아오게 됐다고 들었다.

언니 얘기를 하다가 중간에 「파가니니 주제에 의한 광시곡」 얘기가 나왔었다.

여기서 얘기하지 않으면 열린 두개골로 인해 언제 까먹을지 몰라 일단 얘기를 하고 넘어가려고 한다. 언니는 음반을 사서 들었을 뿐만 아니라 클래식 음악만 틀어주는 채널이 있다는 사실을 안 후로 방학 때는 종일 그 채널만 들었다. 나도 방학 때 주로 언니 방에서 책을 읽었기 때문에 덩달아 옆에서 같이 음악을 듣게 됐다. 프로그램 중 피아니스트 김용배가 진행하는 코너가 하나 있었다. 그 시그널 음악이 라흐마니노프의 「파가니니 주제에 의한 광시곡」 중 아다지오 부분이었다. 피아노 독주로 시작하는 아다지오 부분이 막 끝난 직후 시작되는 오케스트라와의 협연 부분의 클라이맥스 말이다.

나중에 제주도에서 일할 때 나는 매달 제주교향악단의 정기 연주회를 보러 갔다.

한 번은 김용배가 협연하는 그리그의 피아노 협주곡이 연주 예정 작품이었다. 기대가 가득한 마음으로 객석에 앉아 있었는데, 처음부터 오케스트라와 싱크로가 전혀 맞지 않더니 중간에 계속 기침을 하다가 결국 1악장 중간에 감기로 인해 연주를 계속

할 수 없다면서 정중히 연주를 중단하고 퇴장했다.

나는 그 때 그 분이 소아마비를 앓아 후유증이 있다는 사실을 처음 알았다. 나뿐만 아니라 많은 사람들이 인생에서 가장 존경하는 훌륭한 분들은 대체로 신체적·사회적 장애를 극복하고 불굴의 용기로 위대한 성취를 해내는 분들이라는 생각이 다시 들었던 순간이었다. 그날은 아마 지휘자와 트러블이 있었거나, 한겨울에 제주도까지 내려와 협연을 하려다가 호텔 객실 온도가 체온과 맞지 않아서 그랬을 거라고 생각했다. 그리고 그리그의 협주곡은 서울에서 들어도 된다고 생각했다.

제주교향악단 얘기를 하니 일화 하나가 더 떠오른다.

보통 어떤 교향악단이든 12월 정기 연주회에서는 베토벤 교향곡 9번 「합창」을 연주한다. 그 해 제주교향악단도 「합창」을 연주했다. 제주교향악단의 정기 연주회는 제주아트센터에서 지정 좌석 없이 선착순으로 좌석을 고를 수 있다. 나는 경험상 협주곡은 1층 좌석 중앙에서 왼쪽, 교향곡은 1층 좌석 두 번째 섹션 중앙이 가장 좋은 음향을 들을 수 있고, 연주자의 손놀림을 볼 수 있는 자리라는 나름대로의 선호를 확고히 가지고 있다. 그래서 제주교향악단의 「합창」 교향곡도 제일 먼저 가서 1층 좌석 두 번째 섹션 중앙에 자리잡고 기다렸다.

그 때 갑자기 어떤 양복 입은 사람이 말했다.

"도지사님 오십니다. 자리 비워주세요."

옆을 쳐다봤더니 수 년 후에, 내가 아는 변호사님과 토론을 하다가 분노조절장애 증상 비슷한 것을 연출한 그 사람이 있었다. 나와 같은 열에서 선착순으로 도착해 연주를 기다리던, 서귀포에서 온 어르신들은 주섬주섬 일어서려고 했다. 제주도는 제주시와 서귀포시로 나뉘는데, 서귀포시는 제주아트센터에서 상당히 멀다. 먼 곳에서 음악을 감상하기 위해 찾아온 어르신들이 너무 불쌍해 보였다.

도지사라고 해도 선착순이라는 규칙을 지킨 사람들을 몰아내고 좋은 자리를 차지할 수는 없는 법이다. 선착순이라는 규칙은 티켓을 구매한 관중과 제주아트센터 사이의 계약이기 때문에 그 계약을 파기시키고 나중에 온 도지사가 좋은 좌석을 차지하는 것은 반칙이다. 잘난 척한다고 할까봐 자제했는데, 이왕 이렇게 된 거, 더 정확하게 말하면, '김영란법' 위반이다.

오징어가 어떤 오징어인지는 이미 밝혔다. 그 자리에서 어르신들께는, 그대로 앉아 계셔도 되고, 도지사가 룰을 어기면 신고하겠다고 의전을 담당하는 공무원에게 말했다. 의전을 담당하는 공무원이 당황하더니 도지사한테 가서 뭐라고 말을 했다. 결국 어르신들과 나는 먼저 온 순서대로 가장 좋은 자리에서 「합창」 교향곡을 감상했다.

「합창」 교향곡은 「환희의 송가」라고도 불린다.

귀가 아주 어두워져버린 베토벤이 민중과 이성의 승리를 의미하는 실러의 시를 4악장 합창 부분의 가사에 넣어 인류 문화 역사상 가장 숭고하고 찬란한 작품으로 탄생시킨 곡이라고 할 수 있다. 아주 작은 일에서도 시민들을 희생시켜 특권을 챙기려고 하는 사람이나, 그렇게 해야만 의전이 된다고 생각하는 공무원들 모두 왕당파라는 생각이 다시 들었다. 그날 왕당파의 부당한 요구에 굴복하지 않고 멀리서 오신 어르신들과 함께「환희의 송가」를 들었던 기억은 청각 장애를 극복한 베토벤에 대한 찬미와 함께 틈이 벌어져 있는 내 두개골에 쫌 오래 저장됐다.

그러면, 오징어는 항상 권력자에게 삐딱하게 구는 그런 오징어냐, 이런 의문이 들려온다.

아니다.

다정다감하고 경우가 바른 오징어다.

「환희의 송가」를 다 듣고 나가는 길에 도지사를 똑바로 쳐다보고 활짝 웃으며, 악수를 요청하는 의미로 손을 내밀었다. 그리고 말했다.

"도지사님, 고시 준비할 때 도지사님이 쓰신 헌법 책으로 공부했습니다. 너무너무 탁월하세요."

도지사는 얼떨결에 고맙다고 하고 악수를 하면서 내 얼굴을 뚫어지게 쳐다봤다.

이 얘기는 할까 말까 망설이게 된다.

나를 처음 보는 사람들은 대체로 내 얼굴을 뚫어지게 쳐다본다. 오징어가 말을 하기 때문이다. 도지사에겐 내가 조금 전에 비켜달라는 요구를 거절한 사람이라는 얘기는 안 했다.

# 동생

동생은 팔삭둥이다.

내가 아홉 살 때 동생이 태어났는데, 그 때는 팔삭둥이라는 말을 만화책에서 처음 보고 뭔가 특이한 사람들을 지칭하는 단어인 줄 알았다. 그래서 내 동생이 팔삭둥이로 태어났다고들 했을 때 정말 좋아했던 기억이 난다.

동생은 너무 일찍 태어나서 아직 덜 자랐다면서 인큐베이터에 들어갔다. 인큐베이터라는 단어도 난생처음 들었는데, 뭔가 거대한 기계 느낌이 나서 너무너무 신났다. 나중에 동생이 있는 인큐베이터를 실제로 보니 오븐에 넣는 알루미늄 조리도구를 플라스틱 통으로 만든 것 같은 모양새여서 몹시 놀랐다. 동생이 조리도구에 들어 있는 애저처럼 보였기 때문이다.

인큐베이터에 들어간 동생 때문에 엄마도 같이 병원으로 들어갔다.

몇 달 뒤 동생이 나와서 집으로 왔는데, 쭈글쭈글하고 두개골이 뒤로 길어서 그 무렵 개봉한 영화 「ET」의 주인공을 닮았다고

들 했다.

동생은 봄에 태어났지만 여름에 집에 왔는데, 한여름에도 기침을 계속하다가 가을이 되자 더 심하게 기침을 했다. 알고 보니 심장이 다 형성되기도 전에 태어나는 바람에 심장 판막이 하나 없다는 것이었다. 그래서 갓 태어난 아이가 톱으로 갈비뼈를 써는 대수술을 거쳤다. 수술이 크기도 하고 아이가 나이가 어리기도 하다 보니 엄마는 계속 병원에 있었다. 나는 동생을 보기 위해 학교에서 돌아오는 길에 집으로 가지 않고 병원으로 갔다.

그 때는 독재정부 시절이어서 병원을 운영하는 대학교의 학생들이 매일 시위를 했다. 시위를 하니까 독재정부는 전투경찰을 풀고 최루탄을 쏘아댔다. 그런 최루탄 연기를 뚫고 연희동 성당 앞에서 되돌아가는 버스에서 내려 병원까지 매일 걸어갔다.

아홉 살이었지만 스스로 민주화 투사라고 생각하게 된 계기가 바로 여기에 있다. 최루탄 좀 맞아 본 땅꼬마였기 때문이다.

학교에서는 매일 어제 누가 최루탄을 더 많이 맞았는지 자랑했는데, 나를 당해낼 친구가 없었다. 시위가 벌어지는 학교 한복판까지 들어가기 때문이었다.

그래서 반장으로 뽑혔다.

나는 애들을 모아놓고 독재정권은 물러나야 한다고 사자후를 토하다가 구구단을 다 못 외워서 다음 학기에는 반장이 되지 못했다.

뒤돌아보니 이렇지, 실제로 최루탄은 정말 괴로운 가스다.

일단 피부에 들러붙으면 고춧가루가 스며드는 것 같고, 비누나 물을 대면 더 쓰라리고 빨갛게 부어오르고 쓰렸다. 연고를 발라도 소용없고, 바셀린을 바르면 더 부었다. 그냥 얼굴 껍질이 한 번 벗겨지기를 기다리는 수밖에 없었다.

동생이 집으로 돌아오니까 더 이상 최루탄을 맞을 기회가 없었다. 대신 동생이 그렇게 신기할 수가 없었다. 매일 누워 있었고, 기저귀를 갈아줘야 했기 때문에 종일 들여다보게 됐다.

나이 차이가 많이 나는 동생이어서 엄마가 육아를 위해 사다 놓은 아기 관련 책들도 내가 다 읽었다.

어느 날 기저귀 갈아주고 옷을 갈아입힐 때 보니까 오른손은 손가락이 네 개였다. 그래서 아기들은 자라야 손가락이 다섯 개가 된다고 학교에 가서 친구들에게 가르쳐줬다. 그런데 집에 와서 보니까 벌써 손가락이 다섯 개가 되어 있었다. 너무 신기해서 오빠한테 말했더니 어제 옷에서 손가락이 하나 덜 빠져나온 거라고 했다. 오빠는 항상 그런 식이었다. 뭔가 엄청나게 신기한 것도 조용히 설명했다.

동생이 점점 커가면서 동네 친구들이 우리 집에서 같이 공부할 때가 있었는데, 동생은 책을 읽거나 공부하는 데에는 큰 관심이 없다는 사실을 알았다. 나도 알았고, 가족들도 알았다. 그래서 엄마는 동생을 데리고 늘 디즈니 만화를 보여주러 다녔고, 롯데

월드나 자연농원이나 서울랜드나 드림랜드 같은 놀이공원에 데리고 다녔다. 나는 종이인형을 가지고 놀았는데, 동생에게는 레고를 많이 사줬다. 한 번은 동생한테 장난을 치고 도망가는 길에 레고를 밟아 지옥의 고통을 맛보기도 했다. 압정을 밟는 것과 레고를 밟는 것 중 어느 것이 더 아프냐는 질문을 받으면 나는 단연 레고라고 말할 수 있다.

그러니 레고밭은 반드시 피해야만 할 인류 최후의 무기라고 할 수 있다.

오빠와 나는 텔레비전이 없는 이층에 주로 있었는데, 동생은 항상 디즈니 만화를 비디오로 보면서 웃고 좋아하고 친구들을 불러와서 같이 봤다. 동생은 조금 커서는 미국 드라마 시리즈 「프렌즈」를 수십 번씩 봤다. 한 번은 고등학교 다니는 동생 친구들이 집에 놀러왔는데 내가 동생은 학교에서 어떠냐고 물어봤더니 영어시간 빼고서는 종일 잔다고 했다. 가끔 침도 흘린다고 했다. 동생이 워낙 영어 발음이 원어민처럼 좋다 보니 학교에서 내보내는 영어 말하기 대회에는 죄다 동생이 나갔던 것 같다.

그렇지만 동생은 영어 말고는 공부하는 것을 전혀 좋아하지 않았다. 수능 시험을 보는 날 아침에 아빠가 동생에게 당부하셨다.

"한 번호로만 죽 찍어야지, 왔다 갔다 해서는 안 돼."

동생은 1번만 전부 찍고 중간에 답을 아는 문제 하나는 3번을 골랐다고 했다.

알고 보니 그 문제의 답은 1번이었다.

그렇게 해서 동생은 우리나라에서는 대학교에 갈 수 없게 됐지만 아이엘츠 시험을 잘 봐서 유학을 갔다. 수학을 전혀 못 하는 동생인 줄 알았는데, 신기하게도 외국에서 경영학을 전공하면서 통계와 수학에 너무 능통해져서 이유를 물어봤더니 영어로 배우니까 쉽다고 잘난 척을 했다.

나는 동생을 너무너무 사랑한다.

내 인생에서 가장 행복한 순간에는 항상 동생과 같이 있었다는 생각이 든다. 동생은 공부만 안 한 것이 아니라 학교도 잘 안 갔는데, 그건 내가 그랬기 때문일 수도 있다.

책을 보다가 밤을 새우면 자명종 소리가 나도 못 일어나는 때가 종종 있었는데, 집에 아무도 없는 날이 많았기 때문에 아무도 내가 못 일어난 줄을 몰랐다. 그럴 때면 어차피 늦게 가도 혼나기만 하기 때문에 아예 결석계를 내고 다음 날 갔다.

결석계 얘기 하니까 우스갯소리가 생각난다.

한 남학생이 학교에 가기 싫어서 학교에 전화를 걸어, 담임 선생님에게 자기네 애가 아파서 오늘 학교에 못 간다고 말했는데, 선생님이 전화거신 분이 누구냐고 하니까 이렇게 말했다는 얘기다.

"저는 우리 아빠입니다."

학생과 부모님 얘기를 하니까 범죄를 저지른 기억이 떠오른다.

그 때는 몰랐지만 이 일을 하다 보니 범죄인 줄 알게 됐다. 고등학교 때였는데, 성적표에 부모님 사인과 각오를 받아와야 했다. 우리 집에서는 애들이 알아서 하도록 방목하는 분위기여서 성적표를 보여드릴 필요도 없었고, 비교적 성적이 좋은 편이라 사인이 없어도 괜찮았지만 혼내는 집안의 친구들은 걱정을 많이 했다. 내가 필기구에 따라 글씨체가 다르다는 것을 안 친구들이 하나씩 나에게 부탁을 해왔다. 앞으로 성실하게 지도 편달하겠다는 내용을 쓰고, 친구 부모님 이름으로 사인을 하면 되는 거였다. 한 번도 들키지 않았고, 의뢰인들이 점점 늘어나서 나중에는 필기구 파는 화방의 단골 고객이 됐다. 친구들은 내 동생처럼 공부는 좋아하지 않더라도 미술과 음악과 무용에 재능이 많은 아이들이라 부모님에게 공부로만 평가받는다는 것에 대한 부당함이랄까 억울함이랄까 하는 심정으로 정성껏 서명을 위조해줬던 것 같다. 화방 사장님도 내가 세밀화 그리는 필기구를 하도 자주 사니까 미술 전공하려는 학생인 줄 아셨는데 아니라고 말하지는 않았다.

동생이 학교에 자주 안 간 얘기를 하다가 옆길로 샜다.

나는 자다가 학교에 안 갔는데, 동생은 이유가 없거나 내가 보고 싶어서 학교에 안 갔다. 오빠는 미국에 가고, 언니는 중요한 일을 하느라 집에 없었을 때 나는 고시 공부를 해야 돼서 1년 좀

넘게 신림동에 있었다. 동생은 학교 가려고 교복까지 차려입고
는 갑자기 신림동으로 찾아와 나와 같이 분식집에서 카레떡라면
을 먹거나 내가 다니는 고시식당에서 차려주는 식사를 하고, 신
림동을 어슬렁거리다가 비디오방에 가서 일본 만화 비디오를 같
이 보곤 했다.

동생이 열 살쯤 어리기 때문에 내 눈에는 항상 애기였는데, 고
등학교 1학년 때인 어느 날 독서실에서 밤 한 시 반쯤 돌아와 보
니 초등학교 3학년인 동생이 거실에 나와서 앉아 있었다. 그 때
부터 동생은 새벽에 독서실에서 돌아오는 나와 함께 야식을 먹
으면서 대화를 하기 시작했는데, 말이 잘 통했다.

가수는 마이클 잭슨과 마돈나보다 본 조비가 더 멋있다느니
조지 마이클의 새 앨범 분위기가 심상치 않다느니 하는 자기 의
견이 생기기 시작했던 것이다.

나는 대학교에 들어간 뒤 내가 제일 존경하는 친구로부터 일
본 그룹인 미스터 칠드런의 앨범『볼레로』를 선물받은 일이 있었
는데, 동생이 그 앨범을 정말 좋아하더니 일본 음악 전문가 비슷
하게 됐다. 나도 동생이 언니나 나와 전혀 다른 새로운 취향을 가
지고 있다는 사실이 신기해서 동생과 함께 동생이 좋아하는 일
본 가수들의 영상 콘서트를 보러 다니곤 했다.

내가 추구하는 체격의 기준이 아무로 나미에가 된 것도 그 무
렵이다.

실제 그렇다는 뜻이 아니다.

추구만 했다는 의미다.

내 기억 속에 가장 행복한 추억 또한 동생이 같이 있던 순간이다. 한 번은 우리 둘 다 좋아하는 일본 그룹 라캉시엘(무지개)이 최초 내한 공연을 하는 날이었다. 라캉시엘은 뮤직비디오도 신선하고 작곡도 훌륭하며 연주도 엄청나서 우리나라에도 팬들이 많았다. 내가 특히 좋아하는 곡은 「카소」(화장)와 '도키라가와 마쭈'로 시작하는 노래인데 제목이 생각나지 않는다. 그 외에도 「허니」「Driver's High」라는 곡을 좋아했다. 완전히 매진된 첫 내한 공연에서 관객들은 전곡의 가사 하나하나를 모두 외워서 따라불렀고, 특히 「Driver's High」는 클라이맥스 부분에서 관객 모두가 같이 점프를 했다.

라캉시엘 공연에서 점프를 한 얘기를 하다 보니 다른 점프 일화가 생각난다.

내가 추위를 많이 탄다는 얘기는 했다. 나는 여름에도 터틀넥을 입거나 스카프를 둘러매야 하고, 발이나 피부가 공기 중에 노출되면 바로 감기나 폐렴에 걸린다. 그래서 한여름을 제외하고는 항상 내복을 입었는데, 빨간색이었다.

중학교 시절, 우리 학교는 남녀공학이었지만 서로 건물이 달랐다. 우리 학교 체육복은 진하디 진한 초록색이었다. 체육 시간에 30미터가 넘는 밧줄로 20명 정도가 줄넘기를 하는 시간이 있었다. 모두 다 동시에, 같은 순간에 점프를 하고, 점프 후에는 바로 주저앉아야 했다.

그런데, 내가 박자 계산을 잘못해서 다른 애들이 주저앉을 때 혼자 계속 공중에 머물러 점프를 하게 됐다. 그 때 내 뒤에 있던 애가 주저앉으려다가 그만 내 바지를 붙잡고 넘어졌다.

나와 내복은 하늘로 점프를 하고, 내 체육복 바지는 내려가는 상황이었다, 이 말이다.

전교생이 창문으로 구경하는 가운데 초록색과 빨간색의 선명한 보색 대비가 이루어졌다.

그 다음부터 학교에서 내 별명은 빨간 내복이 됐다. 미술 선생님들은 시험 문제로 '보색 대비'를 출제했고, 틀린 학생은 거의 없었다. 멀리서 본 친구들은 마크 로스코 그림을 볼 때마다 내 생각이 난다고들 했다.

픕, 친구들의 응용력이란.

동생은 얼굴이 송혜교를 닮기도 해서 정말 예뻤다.

어렸을 때 동생 손을 잡고 어딜 가면 사람들이 항상 인형 같다면서 만지작거리려고 했다. 유학 간 동생이 방학이 돼서 한국에 돌아오기라도 하면 식구들마다 동생이랑 같이 있으려고 안달이 났다.

한 번은 동생과 같이 산책을 나가려고 횡단보도를 건너는 길이었는데 반대 방향에서 오던 남학생이 동생을 계속 쳐다보더니 다시 왔던 방향으로 뛰어갔다가 되돌아오면서 또 동생을 쳐다보는 것을 봤다. 또 한 번은 동생과 같이 쇼핑을 하고 있었는데 어떤 아저씨가 동생한테 지금 입은 옷을 어디서 샀냐고 물어봤고, 동생이 런던에서 샀다면서 왜 그러냐고 하니까 자기 딸한테도 사주려고 그랬다고 둘러댔다.

더 웃긴 일도 있었다. 동생과 같이 조용한 레스토랑에서 식사를 하고 있었는데, 옆 테이블에 있던 아주머니가 나가기 전에 동생에게 어느 나라에서 왔냐고 물어봤다. 동생이 런던에서 유학중인데 잠깐 한국에 온 거라고 대답했더니 이렇게 말하고 갔다.

"아, 그래서 그렇게 생겼군요."

레마르크의 유전법칙이 소공동에서 반박되는 순간이었다.

그래도 그 때까지만 해도 땅꼬마였던 동생이 지금은 가족 중 제일 잘 산다는 사실이 정말 뿌듯하고 행복하다.

# 남자

내 기억 속 최초의 남자는 세 살 때 항상 같이 손을 잡고 다니면서 구청 앞부터 한강까지 이어지는 개천에서 나와 같이 돌을 줍던 친구였다.

얼마 전까지는 이름을 기억했지만, 지금은 생각이 안 난다. 나중에 얘기를 들어보니 주로 그 친구가 매일 아침이 되면 우리 집에 와서 내 손을 잡고 같이 걸어서 나갔다가 두 시간쯤 뒤에 같이 들어온 뒤 자기 집으로 갔다는 것이었다.

기억 속 두 번째 남자는 초등학교 6학년 때 내 짝이었다.

그 전에 보던 만화책인 『우리는 길 잃은 작은 새를 보았다』의 남자 주인공과 이름이 같기도 하고 외모가 우리 오빠를 생각나게 하기도 해서 더 기억난다.

진섭이는 우리 반에서 암산을 제일 잘했는데 주판알을 많이 튕겨서라고들 했다. 그래서인지, 뭔가 계산할 일이 있으면 책상 위에 손가락을 놓고 이리저리 움직인 다음에 누구보다도 빨리 답을 내놓았다. 진섭이는 공부를 잘한 것 외에 집도 잘살았고 얼굴도 잘생겼는데, 말을 거의 안 했고, 바지도 딱 두 벌만 입고 다녔다. 여름에는 짧은 청바지, 기타 계절에는 긴 청바지.

하루는 장난을 하고 싶어서 바지가 모두 몇 벌이냐고 물어봤다.

진섭이는 네 벌이라고 대답했다. 내가 못 믿겠다는 표정으로 쳐다봤더니 여름 체육복과 겨울 체육복을 포함해야 한다고 말했다. 진섭이가 집이 어려운 아이였더라면 내 질문이 상처가 되었겠지만 자신감 있는 친구여서 재치있는 대답을 했고, 그게 더 진섭이를 매력적으로 보이게 만들었다.

진섭이는 나와 관심사가 완전히 달라서, 나는 주로 책을 읽고 그림을 그렸던 반면 진섭이는 항상 산수 문제를 풀었지만 쉬는 시간에 지우개 따기를 시작하면 절대로 지려고 하지 않았다. 덕분에 내 지우개는 계속 반으로 쪼개졌지만 진섭이는 게임이 끝나면 항상 되돌려주었다.

지금은 어디서 어떤 일을 하는지 전혀 모르겠다.

본격적으로 생각나는 남자들은 대학교 들어간 이후에 알게 된 사람들이다. 아빠가 예술과 건축 관련된 일을 하는 분들을 후원한 시기가 있었는데, 그 시기에 우리 집 서재에는 건축물 설계도, 단면도, 투시도들이 책자로 수북이 쌓여 있었다. 그 중에는 새 건축물도 있고, 유명한 옛날 건축물도 있었다. 설계도 중 가장 마음에 들었던 작품은 프랭크 로이드 라이트의 「낙수장」이었다. 물론

「낙수장」은 설계도를 보기 전, 건축 관련 책자들에서 처음 사진을 본 순간부터 익숙해져서 좋아했을 수도 있다.

대학교 다닐 때 뉴욕에 살다가 돌아온 일이 있었는데, 귀국 후 첫 수업은 교양 영어였다. 수업이 몇 분 진행됐을 때 내 옆에 앉은 사람이 책을 가져오지 않았다면서 같이 볼 수 있겠냐고 했다. 한 시간 동안 그 사람과 같이 책을 봤더니 고맙다면서 다음 시간에 영어 수업 끝나면 식사를 같이 하자고 했다. 어쩌면 진섭이를 닮았고, 어쩌면 오빠를 닮은 외모의 키가 크고 얼굴이 작은 남자였다. 다음에 함께 식사하면서 얘기를 들어보니 군대 다녀와서 복학한 건축과 학생이라고 했다. 워낙 아름다운 건축물에 흥미가 많아서 너무나 반가운 터라 우리는 곧바로 친구가 됐다.

앞에서 얘기했지만 나는 뇌암으로 두개골을 연 일이 있다.

그 일을 계기로 많은 기억이 잊혔다. 그래서 사람의 이름도 마구 섞이곤 한다. 그래서, 첫 대면 자리에서 곧바로 친구가 된 남자의 이름이 김진우가 맞는지 정확히 기억나지 않는다. 김진우의 말에 의하면 김진우는 과 수석이었다. 우리 오빠도 자기가 과 수석이라고 했는데 알고 보니 차석이었던 일이 있었기 때문에 남자들의 허풍에 대해서는 그러려니 하면서 시큰둥한 시기였다.

그런데 김진우는 진짜였다. 나중에 건축과 졸업작품전이 있었는데, 김진우의 작품이 최우수작으로 뽑히기도 했다. 김진우의 설명은, 네바다 사막 한가운데에 대학 캠퍼스를 짓는다면 지

열의 습격을 방지하기 위해 지하로 지어야 하는데, 그 때 관건은 환풍과 배수라는 것이었다. 한 번은 서로 어른이 된 뒤 완공된 이화여자대학교 캠퍼스 컴플렉스에서 만나 함께 링컨 대통령 암살 사건을 주제로 한 예술 영화를 본 일이 있다.

그 때 김진우의 졸업작품과 이대 캠퍼스 컴플렉스의 설계가 너무나 비슷해서 그 이유를 물어봤던 기억이 난다. 김진우는 자기의 아이디어를 도용당한 것 같다며 씁쓸하게 웃었다.

예술과 마찬가지로 건축도, 빈틈없는 공학적 지식과 아름다운 외관에 대한 아이디어만으로는 건축주들을 만날 수 없다는 어려움이 있음을 김진우는 대학 시절부터 알고 있었다. 그래서 김진우는 건축 이외의 다른 재능을 펼치는 길을 선택했다. 그런 것을 보면 확실히 군대 다녀온 남자들은 세상의 냉혹함을 좀더 일찍, 그리고 좀더 차갑게 느끼는 것 같다.

종종 김진우가 관심 있는 분야의 영화를 보기 위해 함께 비디오방에 가기도 했는데, 주로 우주과학 분야와 관련된 내용이 많았다. 그 중에서도 특히 조디 포스터가 주연하고 4차원 공간으로 들어가는 우주과학 영화가 떠오른다.

나중에 알고 보니 비디오방은 비디오를 보러 가는 곳이 아니라고들 해서 놀랐던 기억이 있다. 야하디 야하다는 책인『채털리 부인』에서도 두 사람은 남자의 오두막집에서 만나지 단칸방에서 만나지는 않기 때문이다. 내가 신림동에서 동생과 비디오방을 다니면서 일본 만화를 보던 것도 김진우와의 즐거웠던 추억의 연장이기도 했다.

김진우를 떠올리면 무엇보다도 잊을 수 없는 것이, 김진우가 하루키와 카이사르를 매우 좋아했다는 사실이었다.

당시 나는 하루키가 누군지도 몰랐다. 엄마와 함께 구입하는 전집 시리즈에 없었고 오빠가 보던 책에도 없었기 때문이다. 한 번은 김진우가 자신이 가장 좋아하는 책이라면서 『상실의 시대』를 알려줬다. 한참이 지난 다음에 하룻밤을 새워서 다 읽었는데, 막상 느낌을 나누려고 보니 이미 김진우는 졸업하고 없었다. 김진우는 졸업작품을 만들던 무렵 『로마인 이야기』를 읽고 있었는데, 카이사르가 죽은 뒤에는 더 이상 읽고 싶지 않다고 얘기했던 기억이 난다. 그 후 카이사르의 『갈리아 전기』와 『내전기』를 읽을 기회가 있었는데, 김진우가 떠오르기도 했고, 카이사르라는 인물 자체가 너무나 매력적이어서 책장의 카이사르 섹션을 볼 때마다 김진우가 떠오른다.

김진우는 외모 말고는, 『상실의 시대』에 나오는 나가사와 와타나베를 반씩 섞어놓은 듯한 성격이었다. 그래도 김진우는 나중에 내가 신림동에서 고시 공부를 할 때 맛있는 것을 사주겠다면서 한두 번 찾아와서 재미있는 얘기를 해주곤 했다.

# 그 사람

그 사람은 내가 고용한 변호사였다.

'남자' 섹션이 시작될 때 야한 이야기를 기대했던 사람들이 있었던 것 다 안다. 보통 자전적이든, 일인칭이든 삼인칭이든 소설이 중반을 넘어가기 전에 야한 장면이 한두 번은 나와줘야 한다는 공식이 있다는 말을 들은 일이 있기 때문이다.

생각해보니 어렸을 때 우리 집에 있던 전집 중 『데카메론』『누구를 위하여 종은 울리나』에도 갈등 구조가 심화되다가 어느 순간 야한 장면이 나오고, 다시 더 읽다 보면 비슷한 장면이 한 번 또는 두 번 정도 더 나왔던 것으로 기억난다. 내가 정말 좋아하는 작품 『쿠오바디스』에는 야한 장면이 직접 나오지는 않지만 전체적으로 나른하면서도 끈적한 분위기가 있어서 그 공식에서 크게 어긋나지 않았던 것 같다. 심지어는 순수함의 완결판인 『호밀밭의 파수꾼』에도 야할 것 같은 장면이 한 번 나오기도 한다.

그 사람 얘기를 쓰다가 옆으로 샜다.

그 사람은 내가 고용한 변호사였지만 처음부터 내가 고용한 변호사의 관계로 알게 된 것은 아니었다. 그 사람은 원래 우리 사촌 오빠와 고등학교와 대학교 동기여서 막연히 알고 있었는데, 어쩌다가 일 년간 같은 회사에서 일하게 됐다. 더 알고 보니 우리 회사에서는 처음으로 미국으로 유학을 가서 뉴욕에서 변호사 자격을 취득하고 돌아온 사람이기도 했다.

나는 대학교 4학년 때, 지금은 구속돼서 수감되어 있는 한 변호사가 진행하는 강의를 들은 일이 있는데, 수업보다는 변호사 실무 중 있었던 일화를 많이 들려주면서 실무를 하게 되면 얼마나 재미있는지 알려주는 내용이 주된 강의였다.

하루는 자기 동기인데 유명 로펌에 있다가 유학을 가게 됐다는 변호사를 데려와 유학을 가기까지 준비해야 할 내용과 유학 가서 변호사 자격까지 취득하면 좋다는 내용의 수업을 듣게 됐다. 그 변호사는 자기가 좋아하는 영어 영화 다섯 편 정도의 자막을 가리고 수십 번씩 대사를 완전히 외울 때까지 봐서 영어에 귀를 틔우고 외국어 시험을 봤다고 했다. 뉴욕 변호사 자격도 따고 오겠다고 했다. 그 때는 마침 내가 가장 좋아하는 가수 마이클 잭슨이 억울한 누명을 쓰고 모함받던 시기여서, 나도 미국 변호사 자격을 따야겠다는 막연한 목표를 가지게 됐다.

그런 다짐을 여전히 가지고 있는 상황에서 미국 변호사 자격을 가지고 있는 그 사람을 회사에서 만나니 반가웠다.

한 번은 저녁 회식에서 그 사람과 마주앉게 됐는데 예술에 대한 기호가 특이해서 비꼬는 대답을 했더니 약간 자존심이 상한 모양이었다. 그 때 그 사람이 했던 얘기는 자기는 히에로니무스 보스의 「쾌락의 동산」이라는 작품이 가장 좋다는 것이었다. 그래서 나는 "그러고 보니 중세 작품에 나오는 사람 중 아르놀피니를 닮으셨다"고 대답했다.

사실 그 사람의 외모는 아르놀피니와는 거리가 멀었고, 영화배우 박해일을 많이 닮았던 기억이 나는데 보스의 그림을 좋아한다고 해서 장난기가 발동해서 그랬다. 며칠 뒤 그 사람이 『러시아 미술사』라는 책을 내 방으로 보내면서 자신에게 아르놀피니로 충격을 준 것에 대한 선물이라고 했다.

나는 보답으로 바흐의 브란덴부르크 협주곡 CD를 보냈다.

바흐는, 두개골을 연 후 일을 할 때 고도의 집중력 발휘가 어려워진 뇌를 진정시키는 효과를 발휘하는 곡이기도 하지만 딱딱하고 정교하며 빈틈이 없는 완벽한 화성을 상징하는 음악가여서 받은 것은 보답하되 더 이상 사적인 인간관계를 계속하지 않겠다는 의지의 표현으로 간주될 수 있는 답례였다.

그 사람은 그런 정교한 메시지를 다르게 해석했다.

대신, 그 무렵 블라디미르 유로프스키가 지휘하는 런던심포니가 백건우와 협연하는 연주가 있는데, 지인이 기획사 운영자여서 티켓을 받았다면서 같이 갈 수 있겠냐는 메신저를 보내왔다.

그 때 고민했던 이유가 있다. 어렸을 때부터 가족들과 일상적으로 연주회에 다니다 보니 결혼하고 나서도 예술의전당을 자주 찾았는데, 하루는 빈 소년 십자가 합창단의 연주회를 신랑과 같이 가게 됐다. 한참 연주를 감상하는데 갑자기 어디선가 드르렁 소리가 들렸다. 신랑이 고개를 완전히 뒤로 젖힌 채 잠을 자고 있었던 것이었다. 다른 관객들과 합창단원들에게 미안해서 얼른 깨운 뒤 그 막이 끝나고 바로 돌아왔다. 신랑은 일 중독자여서 주중에는 거의 매일 야간 진료를 하고, 주말에도 수술 일정을 잡아 일을 했기 때문에 늘 잠이 부족해서 조용한 합창 소리가 자장가처럼 들렸던 것이다.

다시, 그 사람이 프로코피예프 피아노 협주곡 공연 제안을 한 얘기로 돌아와야겠다.

국내에서는 거의 연주되지 않는 협주곡이어서 꼭 가야겠다고 마음먹었지만 음악을 별로 안 좋아하기도 하고, 주중에는 진료를 해야 하기도 하는 신랑과는 같이 갈 수 없어서 티켓을 살까 말까 망설이다가 그런 제안을 받게 된 것이었다. 그래서 며칠 고민하다가 그 사람과 같이 음악회에 가게 됐다.

평일 연주회이기도 하고, 프로코피예프 협주곡이 국내에서 잘 연주되지 않다 보니 좌석은 곳곳이 많이 비어 있었다. 그래서 원래 예약한 좌석이 아닌, 피아니스트가 조금 더 잘 보이는 연주자 출입구 쪽 1층 객석에 자리잡고 봤다. 지휘자는 키가 훤칠한 러시아 사람인데, 객석까지 진한 향수 냄새가 감미롭게 쏟아져 내려왔고, 2막의 교향곡 연주가 끝날 때까지 향기가 사라지지 않았다.

그날 특별히 기억에 남는 일은 그 사람이 내 차를 운전하던 모습이다. 여자가 가장 좋아하는 남자의 모습이 뭐냐는 설문조사 결과가 있다. 한 손으로 운전하면서 주차장 티켓을 입에 물고 후진하는 모습과 스킨 향기를 풍기는 것이라고 했다.

나는 연수원에 들어가면서 처음으로 자동차를 선물받고 운전도 배우게 됐다. 그 때 나에게 운전을 가르쳐준 사람은 나에게 자동차를 선물해준 동기 연수생이었는데, 운전을 가르쳐주는 남자들이 다 그렇듯 참을성이 부족했다. 그래서 나는 운전을 거의 하지 않았고, 조수석에 얌전히 앉아서 남자들의 운전 스타일을 구경하는 것이 취미가 됐다.

결혼하고 나니 신랑은 다리가 길어서 대시보드 위로 무릎이 접히는 자세로 운전했는데, 아무래도 좋은 의대를 졸업해 동기 중에서 가장 돈을 많이 버는 위치에 있다 보니 운전할 때에도 누가 자기 차를 앞지르거나 자기한테 경적을 울리는 것을 잘 견디지 못했다. 그래서 신랑과 함께 있을 때는 본의 아니게 도로 한가운데에서 포뮬러 원 경기가 자주 벌어졌다. 특히, 그 무렵은 독일산 자동차를 지금처럼 누구나 보편적으로 운행하던 시기는 아니어서 신랑은 삼십 대의 젊은 남성이 최고급 독일산 스포츠카를 타고 다닌다는 모습 자체에 만족하곤 하다가 이십 대로 보이는 남자들이 운전하는 이탈리아산 스포츠카가 다가오면 갑자기 흥분하기 시작해서 마이클 슈마허로 돌변했다. 옆에서 지켜보기에는 박력 있고 재미있었지만 경기가 끝나면 허무해하는 모습에서 마음이 애처로워지기도 했다.

반면, 그 사람은 자동차를 운전하지 않고 다녔다.

그러다가 음악회를 같이 가야 해서 내 차를 운전하게 된 것이었다. 그 사람은 항상 던롭이나 페라가모의 실크 넥타이에 윤기가 나는 모직 160수 양복을 입고 다녔고, 어렸을 때 악기를 연주한 일이 있다고 했을 정도로 손가락이 길고 고왔을 뿐만 아니라 운전하는 스타일도 악기를 다루는 것처럼 부드럽고 능숙했다. 자기 아버지가 외국계 회사 임원이었다고 했는데, 그래서인지 스킨 향도 레이어가 네 겹은 되는 듯 깊고 다채로웠다. 가는 길에 그 사람은 부원으로부터 장기적출에 관한 보고를 받았는데, 한 손으로 운전하면서 부원에게 이것저것 능숙하게 짚어주는 모습을 보니 믿음직하다는 생각도 들었다. 주차하는 모습도 여유 있고 세련된 자세였던 기억이 난다.

얼마 후 그 사람은 회사를 그만두고 변호사로 개업했다.

그 무렵 나는 결혼 전 부모님이 사 주신 건물과 관련해서 금융기관과 민사소송을 하게 됐는데, 판사 출신 변호사를 고용해서 전관예우를 노린다는 인상을 주고 싶지 않아 그 사람을 고용했다. 소송 전략을 의논하기 위해 만나는 자리에서 즉흥적으로 그 사람과 인근 갤러리들을 같이 둘러보기도 했는데, 한 번은 그 사람이 자기가 후원하는 작가라면서 파라핀을 재료로 그림을 그리는 화가의 전시회에 같이 가자고 했다. 내가 평소에 마티에르가 두꺼운 작가들을 좋아한다고 했던 말을 기억해서였던 것 같다. 가장 마음에 드는 작품이 뭐냐고 묻더니 바로 구매해서 나에게 줬다. 그림은 전시가 끝난 후에 배송받았다. 나는 그 그림을 지금까지도 집에 걸어놓지 않고 있다. 왠지 우리 집에서 작품을 보는 사람들 앞에서 마음을 들키는 듯한 느낌이 들기 때문인 것 같다.

소송은 내가 원하는 대로 잘 마무리됐다.

그 후에는 미국 변호사 자격 취득을 위해 영어로 된 추천서를 받아야 해서 몇 번 더 만났다. 그 과정에서 그 사람은 매번 특이한 책을 선물로 줬는데, 책을 고르는 기준을 도무지 알 수가 없어서 언젠가 한 번은 기준이 뭐냐고 물었더니 양장 중에서도 표지그림이 예술적인 책이라고 했다. 내용을 다 읽고 고민할 필요가없었던 것이다.

그 사람은 다른 추천서 작성자들과는 다르게, 몇 장씩이나 되는 추천서를 정성껏 스스로 써서 자기의 미국 변호사 자격증과함께 동봉해 보내줬다. 나는 추천서를 복사하지도 않고 그대로미국으로 보내는 바람에 그 사람이 구체적으로 어떤 말을 썼는지알 수가 없게 됐다.

뉴욕 변호사 시험에 합격하고, 선서까지 하게 됐다는 말을 전해줬을 때 그 사람이 자기 일처럼 좋아했던 기억이 있다. 그 무렵 자기 딸이 우리 오빠가 들어간 학과에 갔다고도 했다. 그 사람과 친구인 사촌 오빠 딸도 같은 학교에 다니고 있어서 나는 정말 잘 됐다고 말해줬다.

그 후로 다시는 보지 못했다.

# 신랑

신랑은 내 과외 선생님이었다.

나는 중학교 때 대체로 전교 1등을 하고서 고등학교 진학을 앞둔 두 달 내내 음악 듣고 그림 그리거나 책을 읽는 행복한 시간을 보낸 대가로 입학 첫날 본 실력고사에서 전교 60등 정도 했다.

등수가 문제가 아니었다. 문제를 풀 수가 없었던 것이 문제였다.

영어와 수학 시험이었는데, 영어는 단어를 하나도 몰랐고, 수학은 한 문제도 못 풀었던 것 같은데도 60등이었다. 어쨌든 등수 문제가 아니라 내가 뭔가 모른다는 사실에 충격을 받아 뭘 알아야 하는지부터 점검해야 하는 순간이 왔다.

엄마가 친구 아들 두 사람을 알려줬다.

신랑은 두 번째 선생님이었다. 첫 번째 선생님은 내가 나중에 들어간 학교 경제학과에 갓 입학한 분이었는데, 나중에 체중과다로 군대를 면제받을 정도로 체구가 거대해서였는지 수학 과외 첫 수업 내내 거친 숨을 몰아쉬었다. 당시 수업 교재가 『수학의 정석』이었는데, 손바닥 두께가 책 두께와 일치할 정도로 육중했다. 그래서 죄송하지만 다음에는 자습을 좀 해보겠다고 말했다.

그래서 두 번째 선생님인 신랑이 왔다.

신랑은 큰 키에 마른 체구였고, 오빠가 졸업한 학교 치의예과 학생이었다. 자기 집은 멀리 있었지만 나처럼 과외가 필요한 조카 때문에 외삼촌이 평창동에 마련해준 집에서 학교에 다니고 있었다. 신랑은 첫눈에도 타고난 명강사였다. 그런데 진도가 너무 빨랐다. 이해도 하기 전에 다음 챕터로 넘어가버리는 것이었다. 그래서 죄송하지만 다음에는 자습을 좀 해보겠다고 말했다.

나중에 알고 보니 신랑은 마르고 호리호리한 여성을 좋아하는 성향이었는데, 그 때 나는 매우 쳐비했었다.

내가 쳐비했던 이유가 있다. 나는 미술 대학으로 유명한 학교 근처에서 나고 자랐다. 학교도 대학교 안에 있었기 때문에 수업이 끝나면 매일 학교 바로 앞에 있던 버거킹에서 감자튀김과 와퍼와 밀크 쉐이크를 먹었다.

어찌 됐든, 신랑은 한 시간 만에 해고된 것이 처음이어서 그만 와도 된다는 말을 들었을 때 자존심은 상했지만 쳐비한 나를 더 보지 않아도 돼서 한편으로는 안도했다는 말을 나중에 했다.

그렇게 첫 인사를 나눈 직후 서로 각자 인생을 살면서 각자 부모님으로부터 안부만 들었다가 나중에 연수원 수료할 때가 됐다. 신랑이 축하한다면서 한 번 밥을 사주겠다고 연락해왔다. 나는 그 때 마침 차를 사준 친구와 막 헤어진 참이어서 그동안 신랑이 어떻게 변했는지 한 번 보고 싶었다. 그래서 그 무렵 우리 가족이 자주 가던 파이낸스빌딩에 있는 중국 레스토랑에서 만나 같이 저녁을 먹었다. 한 시간 과외를 했을 때는 전혀 몰랐는데 사람이 그렇게 웃길 수가 없었다. 무시무시한 얘기도 서슴지 않았고 시니컬한 마력도 넘쳤다. 나중에 나갈 때 신랑이 내 주차비까지 미리 계산했다는 말을 듣고 깔끔한 매너에도 매력을 느꼈다. 신랑도 계속 처비할 줄 알았던 내가 빅토리아 베컴 수준으로 뼈다귀가 되자 많이 만족한 느낌이었다.

그 뒤로 신랑과 거의 매일 만났는데, 하루는 신랑이 자기 인생을 나한테 올인하고 싶다고 말했다. 언니가 땅꼬마 때 눈 좀 붙이겠다고 한 말을 들은 이후 처음 듣는 멋진 어휘였다. 그런데 나중에 알고 보니 신랑은 주말마다 친구들과 포커를 치면서 올인하는 습관이 있었던 것이었다. 나는 신랑한테서 그 말을 듣고 며칠 고민하다가 이왕 이렇게 된 거 그냥 결혼하는 게 낫겠다고 생각했다.

그리고 몇 달 뒤 부부가 됐다.

신랑은 스키광이었다. 토요일 진료가 끝나고 집으로 돌아오면 5시였는데, 미스터피자 포테이토 치즈캡 한 판을 주문해서 두세 조각씩 먹고 바로 베이스타운으로 출발해서 오후 6시부터 스키장 폐장하는 자정까지 한 번도 쉬지 않고 계속 스키를 타는 일정이었다.

물론 정상에서 파는 어묵은 먹었다.

그러나 중간에 어묵 먹는 15분도 체력 비축 목적이므로 안 쉰 것으로 쳐야 한다. 안 쉰 것으로 쳐야 한다는 단언에 대한 반론은 받지 않는다. 자정에 스키장을 떠나 다시 집으로 돌아오는 길에 압구정동에 있는 떼부짱에서 항정살 5인분과 김치말이 국수를 먹고 집으로 돌아와 점심까지 푹 자는 것이 겨울이 되면 주말 루틴이었다.

신랑은 또 고기광이기도 했다.

우리는 채식주의자 집안이어서 집에서는 고기를 거의 먹어본 일이 없었다. 그런데 신랑네 집은 된장국에도, 김치찌개에도, 만둣국 국물에도, 냉면에도 고기가 들어갔다. 우리 집은 무슨 일이 있으면 꽃등심을 먹으러 외출을 했고, 집에서는 주로 채식주의자들로 살았는데, 꽃등심을 선호한 이유는 그 부위 외에는 따로 먹으러 외출할 일이 없었기 때문이다. 그래서 신랑이 매일 고기를 먹어야 된다는 말을 듣고 매일 퇴근 후 집 앞에 있는 마트에서 꽃등심을 사다놓았고, 고기 구울 줄 모르는 나 대신 신랑이 착착 착 구워서 첩첩첩 먹고 나한테도 첩첩첩 먹여줬다.

그렇게 두 달 정도 지났는데, 어느 날 갑자기 신랑이 라면을 끓여달라고 했다. 이미 꽃등심을 준비해놓고 있었는데 라면 끓여 달라니 어이가 없어서 바닥에 뒹굴면서 울부짖으니까 어떻게 매일 꽃등심만 먹냐는 거였다. 그래서 엄마한테 전화했더니 냉장고에 삼겹살 넣어놨으니 빨리 꺼내서 구워먹으라고 했다. 그 말을 엿듣고 신랑이 얼른 냉장고에서 삼겹살을 꺼내더니 재빨리 해동시켜 굽기 시작했다. 그래서 그날의 갈등은 삼겹살에 김치를 구워먹는 일정으로 마무리됐다.

엄마가 어떻게 우리 집 냉장고에 삼겹살을 넣어둘 수 있는지에 대해서는 설명이 필요하다.

어렸을 때는 엄마가 거의 집에 없었고, 독서실 다닐 나이가 되면서는 엄마와 마주칠 일이 없었으며, 고시 공부를 하고서는 신림동에 있었고, 연수원 다닐 때는 일산에서 살아서 잘 몰랐던 일이었다.

우리 엄마는 나중에 별명이 '유통이모'로 고정될 정도로 물건을 한꺼번에 많이 사서 주변 지인들에게 막 나눠주는 스타일이었다. 그러고 보니 김장철만 되면 우리 집에 일하는 아주머니들이 네다섯 분씩 와서 정원 한 켠에 한가득 배추 수백 포기를 쌓아놓고 절이거나, 절인 배추에 양념을 했는데, 그렇게 담근 김치를 주변 지인들에게 수십 포기씩 포장해서 보내주곤 했던 기억이 난다. 물론 엄마표 김치가 아낌없는 재료와 밤과 배, 오징어젓 등 신선한 양념으로 인해 주변 분들로부터 많은 인기를 끌었던 것도 중요한 이유가 된다.

그런데, 김치뿐만이 아니라 뭐가 됐든 많이 사서 주변에 나눠주거나, 다른 사람들이 필요 없는 물건은 가져다가 필요한 사람들에게 전해주는 일들을 즐겨 해오셨던 것이다.

그래서 결국 우리 집은 냉장고가 7개인 집이 됐었다.

그 중 김치냉장고가 4개였다.

하루는 아빠가 냉장고를 정리하다가, 냉장고를 비우든 자기가 집을 비우든 해야 할 것 같다고 한숨을 쉬었다. 엄마가 그 말을 듣고 화를 냈다. 그 다음 날부터 아빠는 본채를 비우고 별채에서 살게 됐다. 엄마는 그렇게 아빠보다 냉장고와 그 냉장고에 들어 있는, 주변에 나눠줄 음식을 더 소중히 했다. 그런 경위로 나와 신랑이 집에 없을 때 우리 집 냉장고에 삼겹살과 기타 음식들을 가져다두셨던 거다.

그 뒤로는 삼겹살 뿐 아니라 안창살, 오겹살, 안심 등도 가져다두셔서 신랑이 알아서 잘 꺼내고 잘 구워먹었다.

고기광인 신랑 덕분에 한 번도 먹어보지 못한 음식도 알게 됐다. 이태원의 허름한 음식점에서 파는 존스탕이라는 부대찌개도 자주 먹으러 다녔고, 망원동의 황소곱창이라는 음식점에서 곱창도 처음으로 먹어봤다.

망원동 황소곱창 얘기를 꺼내다 보니 또 본성이 나온 일이 떠오른다.

그 음식점은 손님이 워낙 많아서 넓디 넓은 주차장도 부족할 정도였는데, 그래서 손님들이 그 앞 도로에 차를 세우기도 했다. 그런데 어느 날 주차단속원들이 황소곱창 손님들은 단속하지 않고, 그 양 옆 음식점 손님들만 단속하는 것이었다. 양 옆 음식점 주인들이 단속원들에게 항의하고 있었지만 요원들은 아랑곳하지 않고, 계속 그쪽 음식점 손님들 차 위에 단속 카드를 붙이고 과태료 번호를 입력하는 것이었다.

신랑과 나는 황소곱창 손님이었고 일찍 와서 주차장에 주차했지만 주차단속원이 뇌물을 요구하다가 실패한 상황이 아니고서는 공평하지 않은 것이 눈에 들어왔다. 그래서 가서 이름과 소속을 물어보고 황소곱창 손님들은 단속하지 않은 이유를 물어보았다. 그랬더니 아무도 더 단속하지 않고 그냥 돌아갔다.

불공평은 샌드위치집에서도 발생하지만 주로 단속해야 하는 곳 중에서 한쪽만 눈감아주면서 발생하는 법이다.

불공평에 대한 나의 혐오와 비슷하게, 완벽하지 않은 것에 대한 신랑의 혐오감이 컸던 기억도 난다.

신랑은 개업할 때부터 환자가 많았기 때문에 페이닥터를 여러 명 두고 있었는데, 신경치료를 할 때 뿌리를 끝까지 긁어내지 않고 대충 처리한 뒤 금값만 받아내려는 의사에게는 한 것을 모두 파내고 처음부터 다시 하라고 지시하고는 했다. 돈 대신 치료 효과를 가장 중시해서였는지 신랑 병원은 한 번 인연을 맺으면 가족들까지 모두 데려오는 환자들이 많았다. 신랑을 알게 되면서 나는 사람의 타고난 성격에 더 관심이 많아졌다.

음악회에서는 졸곤 하는 신랑이 운전대만 잡으면 신들린 듯

에너지가 넘쳐났다. 일을 할 때도 마찬가지였다. 심지어는 전문의 과정을 우수한 성적으로 마무리한 후 개업의로 일하면서도 모교에서 석사와 박사 과정까지 마쳤다.

신랑이 박사학위 논문을 쓰던 때가 기억난다.

자기가 인용해야 되는 논문을 원본으로 봐야만 직성이 풀리는 성격이었는데, 임플란트 관련 논문이라면 무조건 첫머리에 써야만 하는 저자가 Per-Ingvar Brånemark였다. 신랑이 검토해 달라고 가져온 논문에 죄다 그 사람 이름이 들어 있었고, 그 사람이 썼다는 글의 출처가 모두 동일하게 표시되어 있었다. 그래서 논문을 대충 쓰려면 남이 쓴 표시를 똑같이 하면 되는 것이었다. 그런데도 신랑은 원문을 구해서 읽어봐야 한다면서 나에게도 좀 알아봐달라고 했다. 마침 카이스트를 졸업한 시보가 회사에 있어서 카이스트 도서관에 확인 좀 해 달라고 부탁했더니 다음 날 사본을 보내줬다. 신랑에게 가져다줬더니 다른 논문들에서는 원문의 출처 표시가 완전히 잘못되어 있었다면서 고맙다고 했다.

그렇게 신랑은 철저한 완벽주의자였다.

환자 하나하나를 그런 식으로 자세히 살펴보다가 결국 신랑은 아주 젊은 나이에 목 디스크에 걸리고 말았다. 결국, 더 이상 직접 진료하는 것은 무리인 상황이 됐고, 그다음부터는 운영에만 집중하기로 했다. 신랑은 워낙 공중보건의 시절부터 훌륭한 선배들의 병원에서 주말마다 경영 실습과 치료 실무를 배워왔기 때문에 동기생들 중에서도 병원 운영 능력이나 환자 치료 능력이 모두 탁월했다. 그래서 자기 병원을 운영하다가 경영이 잘 안되는 병원에서는 수술을 지원해주는 방법으로 여러 병원의 관리까지 관여하게 됐다가 나중에는 결국 법인으로 바꿔 여러 개의 지소를 운영하는 방법으로 진행했다. 그렇게 무리하다가 자기 몸이 상하고 말았다.

또, 보통 의사들이 화학과 생물학에만 강한 반면 신랑은 물리와 지구과학에도 능했다. 그래서 박사학위 논문도 임플란트의 저작 횟수에 따른 수명에 관한 물리학적 연구에 관한 주제를 선택했다.

그 후 신랑은 임플란트 시술을 받은 노령자들이 심장병으로 사망하는 경우가 눈에 띈다면서 해당 분야 논문을 모조리 구해다가 읽기 시작했고, 자기 및 동기와 선후배의 병원에서 임플란트 시술을 받은 노령자들의 사망 원인에 대한 통계를 직접 구해서 방대한 자료를 만들었다. 신랑은 그 결과에 관해 선배와 함께 논문을 써서 미국 학술지에 발표했다. 그리고 몇 번의 후속 논문 발표 후 캘리포니아에 있는 아주 좋은 대학에서 수업과 연구 자리를 제안받았다.

우리는 고민했지만 신랑이 목 디스크로 시달리는 것보다 후학을 양성하고, 용기 있는 논문을 발표하고, 그에 대해 긍정적인 리뷰를 받으면서 개선책을 연구할 수 있는 자리로 가는 것이 맞겠다는 것에 합의했다. 그렇게 해서 신랑은 서울에 있는 병원 운영을 가장 신뢰하는 후배에게 맡기고 미국으로 가게 됐다.

나도 그 때 미국에 가게 됐는데, 신랑한테 오라고 했던 서부의 명문 대학교는 나한테는 안 와도 된다고 했다.

어드미션을 못 받았다는 의미다.

그래서 우리는 미국 대륙에서 동서로 떨어진 생활을 하게 됐다. 그 학교 말고는 내가 원래 목표에 둔 학교가 동부에 있었기 때문이다. 운전을 좋아하는 신랑이 크리스마스 휴가를 앞두고 직접 운전해서 내가 있는 학교로 왔다가 다시 자기네 학교로 운전해서 같이 갔다. 신랑과 함께 미국을 자동차로 횡단했던 그 성탄절 일주일은 잭 케루악이 쓴 책을 읽을 때마다 계속 떠오르고는 한다.

스탠포드에서 보낸 성탄절에는 눈 대신 비가 왔다.

나는 어렸을 때부터 우산을 쓰지 않고 돌아다닐 정도로 비 오는 것을 너무나 좋아했는데, 마침 성탄절에 이국적인 야자수를 앞에 두고 커피를 마시면서 비 내리는 창밖을 바라보던 순간은 영원히 잊기 어려울 것 같다. 그 순간 때문에 나는 유리창에 비치는 비 오는 풍경을 주로 그린 화가들을 참 좋아한다.

신랑은 학생으로 처음 만났던 순간을 계속 떠올리는지 언제나 나를 아이 취급하곤 하는데, 휴가가 끝나고 나 혼자 동부로 돌아가야 하는 순간이 되자 공항에서 나를 꼭 안고서는 자기가 울었다. 신랑은 그렇게 마음이 따뜻하고, 일에서는 완벽주의, 진리 앞에서는 타협하지 않는 태도를 가진 사람이다.

# 브라이언

브라이언은 중국 친구다.

나는 아빠의 선조가 중국 사람이기 때문에 외국에서 살 때는 중국 아이들과 친하게 지냈고, 내 성을 중국식으로 'Chen'이라고 표시하고는 했다. 보통은 다들 'Zenie'이라고 불렀다. 『천일야화』에서 자기 애인을 호로병 안에 가둬두고 안심하면서 자다가 애인이 몰래 밖으로 나와 돌아다니는 것을 잘 모르는 철부지 마귀 이름과 원래 내 이름의 발음에서 딴 이름이다.

신랑이 나를 학생으로 만나서 아이 취급했다는 얘기는 앞에서 했다. 그런데 그 표현은 약간 잘못된 뉘앙스를 줄 수도 있다. 내가 알려진 것과는 달리 실제로 약간 모자라기 때문이다.

약간 모자란 것으로 알려졌으면 할 말 없다.

맞다.

약간 모자란 것은 아니고, 많이 모자란다. 이름이 왜 Zenie겠는가.

브라이언은 미국에서 로스쿨 다닐 때 나의 모자람을 조용히 메꿔주던 착한 친구였다. 나는 업계에 종사하다가 미국 로스쿨에 가게 됐지만 대부분의 동급생들은 대학에 다니다가 왔기 때문에 많이들 어렸다. 그런데 브라이언은 로펌을 다니다가 와서 나와 나이와 경험치가 비슷했다. 브라이언의 아빠는 중국 사람이지만 엄마는 영국 사람이어서 키가 크고 체격이 남달랐고 영어도 아주 잘하는 데다가 상하이에서 영국 로펌에 다니다 와서 수업도 바로바로 소화했다.

나는 학교 입학할 때 기숙사를 배정받은 것으로 착각하고 미국에 왔는데 그렇지 않다는 사실을 뒤늦게 알게 되는 바람에 처음 한 달 가량 학교 안 호텔에서 생활했다. 그 때 누구보다도 먼저 나서서 인근 타운하우스를 알아봐주고, 타운하우스에서 등하교할 수 있도록 자동차도 알아봐주고, 집을 구했을 때는 축하한다면서 자기 집에서 직접 요리해서 파티도 열어주던 친구가 브라이언이었다.

브라이언은 세심하기도 해서 내가 잘 모르는 일에 대해 자기가 나서서 알려주면 혹시라도 내가 자존심이 상할까봐서인지 항상 'may'라는 조동사를 사용하곤 하는 예의 바른 사람이었다. 한번은 내가 필기구 약 100개쯤 넣어 둔 필통을 교실에서 잃어버렸는지 도서관에서 잃어버렸는지 몰라서 당황하고 있었더니 문자를 보내왔다.

"You may find it in front of your locker."

자기가 찾아서 거기에 올려두었던 것인데, 내 라커 번호까지 기억하고 있어서 새삼 고마웠다. 나중에는 내가 읽고 싶어 하는 출판사의 교과서를 어디에서 찾을 수 있는지 소문을 듣고 나에게 알려주기도 했고, 내가 미국 변호사 시험 날짜를 일주일 전으로 착각해서 비행기 표 예약을 잘못하는 것을 보고 자기가 다시 예약해주기도 했다.

이렇게 쓰고 보니 도대체 나라는 사람은 밥은 어떻게 먹고 다니는지 궁금해지기까지 한다. 브라이언은 그렇게 항상 그림자처럼 옆에서 조용히 지켜보고 있다가 내가 실수할 때면 조용히 해결 방법을 알려주고는 했다.

브라이언에게 고마운 일은 여러 가지가 더 있지만 브라이언과 함께 미국 연방대법원에서 열린 구두변론을 관람한 일은 잊을 수 없는 경험이었다. 그날은 노동법과 관련된 단체소송의 적법성 심사가 있는 날이었는데, 대법관 한 명 한 명이 의견을 제시하면서 토론하는 것이 신기하고 재미있었을 뿐만 아니라 내가 잘못 알아들으면 브라이언이 바로 설명까지 해주는 것이 신기했다. 특히, 브라이언은 그날 아침에 나눠줄 참석 티켓을 받기 위해 전날 저녁부터 대법원 앞에서 밤을 새웠기 때문에 더 감동적이었다.

브라이언과 나는 워싱턴 디씨까지 브라이언이 운전하는 차를 타고 다녀왔다. 브라이언의 얼굴은 동양 사람이지만 팔에는 털이 수북이 난 특이한 체형이었고, 마침 내가 서울 집에서 타고 다녔던 ES330을 운전하고 있어서 더 친밀감이 들었다.

잠깐.

팔에 털이 수북이 난 사람에 대한 페티쉬가 있냐고 묻고 싶은 거 다 안다.

그런 거 묻고 그러는 거 아니다.

그냥 'actors with hairy arms'라고 구글링을 해서 웬만한 유명 배우들은 모두 팔에 털이 수북하다는 것을 자랑하고 싶어 한다는 것을 확인하면 된다. 한 번은 브라이언한테 팔에 털이 많으면 좋냐고 물어봤는데, 좋다고 했다. 뭐가 좋냐고 물었더니 모기가 털에 걸려서 버둥거리다가 잡히기 때문에 모기에 안 물려서 좋다고 했다.

디씨로 가는 길에 브라이언이 내 가족관계에 대해 물어봤던 기억이 난다. 나는 결혼했지만 아이는 없다고 했는데 순간 브라이언의 눈빛에서 약간 실망하는 기색이 느껴진 기억이 난다.

브라이언에 대한 추억으로 가장 생각나는 것이 있다. 나는 미국 변호사 시험을 볼 때 시간을 아끼기 위해 항공기를 이용하기로 했는데 시험이 끝난 뒤 시험장에서 만난 브라이언이 자기는 기차를 타고 돌아갈 거라며 나에게 말했다.

"You may also want to take train instead."

이유를 물어보니 타 보면 안다고 해서 비행기는 노쇼로 정리하고, 브라이언이 예약해준 기차를 타고 같이 학교로 돌아왔다. 막상 기차를 타 보니 브라이언이 기차를 타야 된다고 했던 이유를 알 수 있었다. 그 루트는 나이아가라 폭포까지 흐르는 허드슨 강을 따라 연결되는 라인을 바라보는 길이었기 때문이다. 강 저쪽에 있는 무수히 작은 섬들은 뉴욕 거주자들이 하나씩 구입해서 별장으로 사용하는 사유지였고, 요트나 경비행기로만 접근할 수 있는 아름다운 곳이었다.

일 년 뒤 선서를 하기 위해 알바니에서 다시 브라이언을 만났을 때 우리는 같은 루트를 통해 뉴욕으로 돌아왔고, 그 때는 허드슨강의 가을이 매우 깊었다. 돌아오는 기차 안에서 브라이언은 에밀리라는 이름의 아름다운 여성과 만나는 중이고, 곧 결혼할 예정이라고 했다. 나는 JFK 공항에서 브라이언과 헤어지기 전에 에밀리에게 전해달라고 말하면서 간치니 문양이 담긴 엡송 가죽의 작은 페라가모 지갑을 사서 선물했다.

언젠가 나는 전시회에서 허드슨강의 가을을 연상시키는 작품을 하나 발견했고, 바로 구입했다. 그 작품은 에메랄드빛 강물과 은행잎이 가득한 산을 배경으로 하고 있는데, 항상 잘 보이는 곳에 걸어두고 있다. 그 작품을 볼 때마다 나를 동생처럼 챙겨주던 브라이언이 생각난다.

# 아도니스

남자 얘기가 너무 길다는 불평이 있을 수 있다. 아직 멀었다고 미리 말해두고 싶다.

내가 공식적으로 남자친구라고 말할 수 있는 사람으로는 한 사람이 생각난다. 나에게 자동차를 선물하고 운전을 가르쳐준 바로 그 사람이다.

그 사람을 처음 봤을 때가 떠오른다.

고시생들 용어로 '생동차'라는 것이 있다. 보통 고시라는 게 1차 객관식 문제, 2차 논술 문제, 3차 면접으로 이루어지는데, 과목이 많다보니 1차 시험 합격 후에는 2차 시험을 그 해와 이듬 해 두 번 볼 수 있도록 기회를 준다. 그 중 생애 처음 보는 2차 시험을 1차 시험 합격한 해에 같이 합격하는 것을 '생동차'라고 한다.

나는 대학교에 다닐 때 마이클 잭슨을 따라다니기도 했고, 의류 디자이너인 외삼촌이 사는 뉴욕에서 1년 정도 공립학교에 다니면서 작문 수업을 청강하기도 하는 등 전공 공부를 전혀 하지 않았다. 그러다가 졸업하게 됐고, 졸업 후 뭘 할지 몰라서 대학원에 가기로 했는데, 대학원에 다니다 보니 그냥 고시 공부를 해도 되겠다는 생각이 들었다.

그래서 1년 안에 2차까지 다 합격하기로 마음먹고, 2차 과목부터 공부를 한 다음 1차 시험을 3개월 남겨두고 1차 시험 공부를 시작했다. 시험 한 달 반 전에 모의고사를 봤더니 주요 과목이 100점 만점에 45점 정도였다.

그대로 시험을 볼 경우 낭패라는 의미다.

그 때부터는 초비상 모드로 하루 14시간씩 공부하면서 집중했더니 막상 시험에서는 전체 과목에서 두 개 틀리고 다 맞았다. 그 직후 다시 4개월 앞으로 다가온 2차 시험 공부에 몰두했다. 2차 시험은 나흘간 보는 시험이라 체력 소진이 심했지만 마지막 날 형사소송법 과목에서 결과적으로 64점을 맞을 정도로 성적이 좋았다.

2차 시험의 과목별 점수는 떨어진 사람에게만 알려주기 때문에, 시험을 마친 당시에는 몰랐지만 어쨌든 마지막 날 시험을 잘 봤다는 느낌이 뼛속 깊이 다가와서 당연히 붙었다고 생각하고 그냥 나머지 6개월을 놀았다.

그런데 첫날 행정법 과목이 과락이었다.

과락이라는 성적을 받아보고 나서 천천히 분석해보니 전 과목 성적이 대부분 40점대 언저리여서 합격했더라도 내가 원하는 로펌에 가기에는 부족했기 때문에 처음부터 다시 점검해야 했다.

보통 전 과목이 50점 후반대 언저리면 100등 안에 들게 된다. 특히, 행정법은 뭔가 체계 없이 공부했던 과목이라 완전히 새로 시작해야 했다. 그래서 매일 모의고사를 보는 코스를 선택했다.

나는 아주 어렸을 때부터 혼자 다니는 것에 익숙해서 공부도 혼자 하고 식사도 혼자 하고, 모의고사도 혼자 보는 것이 편했다. 다른 과 선배인 김진우를 영어수업 시간에 만난 것도 내가 혼자 수업을 듣기 때문이었다.

하루는 행정법 모의고사를 보는 주간 중 어느 날이었는데, 다음 날 시험 주제가 내가 잘 이해하지 못하는 분야였다. 그런데, 식탁 맞은편에 어떤 노란 옷 입은 안경 쓴 사람이 스터디 멤버인 것처럼 보이는 사람들에게 내가 잘 이해하지 못하는 그 주제에 대해 강의하면서 밥을 먹고 있었다. 식사가 끝나고 그 사람이 나가려고 할 때 따라가서 그 부분을 다시 한 번 알려달라고 부탁했다. 그랬더니 맨입에는 안 된다면서 캔커피를 사라고 했다. 바로 다음 날 아침에 모의고사를 봐야 하는 주제여서 그렇게 하겠다고 했더니 자기가 가게에서 캔커피 두 개를 사서 나에게 하나 주고 좀 걷자고 했다.

커피를 마시면서 그 주제는 행정의 기본원칙의 어떤 주제와 연결되고, 어떤 판례와 연결되므로 누구 책으로 보려면 어디어디를 같이 봐야 하는데, 시간이 없으니까 누구누구 문제집의 해설을 보면 바로 이해할 수 있다고 알려주더니 아예 서점에서 문제집까지 사준 뒤 고마워할 필요 없다고 하고서는 사라졌다. 그날 그 문제집과 내가 가지고 있는 교과서 관련 부분을 완전히 숙지해서 다음 날 아침 모의고사를 보러 갔더니 그 사람과 그 사람의 스터디 멤버들도 나와 같은 모의고사 코스를 수강하고 있었다. 그 강좌는 이미 합격한 연수생들이 문제를 내고 채점까지 한 다음에 등수를 매겨서 게시하는 방식으로 진행되는 수업이었기 때문에 시험 당일까지 매일 효율적으로 공부하고 피드백을 받을 수 있었다.

한 시간 동안 답안지를 정성껏 써내고 나면 진이 빠지는데, 마침 답지를 제출하고 나가려니까 노란 옷 입은 남자가 말을 걸어왔다.

"잘 썼어요?"

어제 쟁점을 이해하는 방법을 배우고 다음 날 아침 내 기준으로 매우 만족스러운 답을 써낼 수 있었던 것이 고마워서 그렇다고 대답하고, 같이 캔커피 한 잔을 더 마시게 됐다. 그 사람은 음료수를 마시면서 걸어다니는 습관이 있었는데, 마침 한 시간 동안 쉴 새 없이 답안지를 쓰느라 진이 다 빠져서 같이 서울대학교 정문까지 걷기로 했다. 그 사람 덕분에 쟁점을 정리하는 방법을 알게 돼서 나는 모의고사 반에서 항상 1, 2등을 다투는 성적을 받게 됐고, 매일 시험이 끝난 뒤에 그 사람과 함께 음료수 캔을 들고 서울대학교 정문까지 산책을 하고 헤어졌다.

그 사람은 나보다 나이가 두 살 어렸다.

그런데도 인생 경험이 많아서인지 성숙한 허무주의에 사로잡혀 있었다. 시험에 대해서도 아는 것이 너무 많아서인지 쟁점을 다 알더라도 답안지를 정성껏 써내지는 않았다. 우리나라에서 월드컵 경기를 진행하던 순간에도 우리는 매일 서울대학교 정문까지 산책하면서 다음 날 시험 과목에 대한 쟁점을 정리하는 대화를 나눴다.

실제 2차 시험 기간에도 매일 만나서 시험문제를 리뷰하고, 다음 날 시험 예상 출제 문제에 대해 얘기를 나눴다. 지금도 놀라운 것은, 그 사람이 내일 어떤 문제가 나올 수밖에 없다고 네다섯 개 주제를 얘기하면 그 중 적어도 두 개는 꼭 출제됐다는 사실이다.

그 사람의 집은 지방이었지만 지방에서 아주 유명한 집 아들이라 형편이 괜찮아서 발표가 날 때까지 계속 신림동의 비교적 환경이 좋고 넓은 집에서 살았다. 나는 집으로 돌아갔다가 할 일이 없기도 하고, 그 사람과 얘기를 나누는 것이 즐겁기도 하고, 또 신림동에서는 반경 100미터 안에 음식점, 서점, 문구점, 비디오방 등 즐거운 시설들이 많아서 신림동으로 자주 놀러갔다. 그 사람도 원래 주로 혼자 다니던 사람이어서 서로 잘 맞았다.

나는 그 사람의 취향이 참 좋았다.

그 사람은 옷 한 벌을 고르더라도 좋은 섬유와 참신한 디자인인지 여부를 꼭 확인했고, 선물을 하더라도 항상 좋은 가죽과 세심한 무늬가 들어 있는 제품을 주곤 했다.

그러다가 발표일이 됐다.

나는 그 사람의 오피스텔 책상에서 책을 읽고 있었고, 그 사람은 마란츠 오디오를 올려놓은 미니책상 위에서 노트북으로 뭔가를 검색하고 있었는데, 갑자기 뒤를 홱 돌아보면서 말했다.

"징어 씨, 우리 둘 다 됐어요!"

나는 따로 노트북을 보지는 않았다. 대신, 그전 해의 경험으로, 밖으로 나가면 서점마다 합격자 이름을 크게 출력해서 붙여놓는다는 사실을 알고 있었기 때문에 같이 밖에 나가고 싶었다. 그 사람과 함께 밖으로 나가 서점마다 붙어 있는 각자의 이름을 확인했다. 그리고 차분한 마음으로 서울대학교 연못까지 걸어갔다 돌아왔다.

우리는 그 날 그렇게 헤어지기 아쉬워 같이 보라매공원에 가기로 했다. 지금은 어떻게 변했는지 모르겠지만 그 때까지는 보라매공원에 동물을 키우는 우리가 있었던 것 같다. 호수를 한 바퀴 산책하는데 어렸을 때 대관령에서 소 목장을 하던 고모 댁에서 나던 냄새가 났다. 그 냄새 한가운데에서도 조용히 산책을 하다 보니 안정적인 느낌이 들었다. 그 사람의 특징은 손가락 하나하나를 자기 손가락에 끼워서 손을 잡는 것이었다. 신랑은 어딜 가든 손을 확 붙잡아서 빠른 걸음으로 성큼성큼 걸어다니는데, 서로 느낌이 달랐다.

손을 잡고 다닌 얘기를 꺼내니 갑자기 김진우 생각이 난다.

김진우는 손을 잡고 다니는 법이 없었다. 그냥 허리에 손을 얹고 감싸 안았다. 키가 크고 팔이 유난히 길어서 그랬던 것 같다. 그렇다고 김진우가 어디 다른 데를 더듬고 그랬던 것은 아니었다.

그런 일은 한 번도 없었다.

보라매공원 산책 후 우리는, 각자 일산 연수원 근처에서 살 곳을 구하기로 했다.

그 사람은 호수공원이 정면으로 보이는 서향 오피스텔을 구했고, 나는 같은 건물에서 남향 오피스텔을 구했다. 그 사람 부모님은 합격을 축하한다면서 그 사람에게 자동차를 사주었다. 그 사람은 그 때부터 연수원에 갈 때 나를 태우고 같이 갔다. 그 사람과 나 모두 사람이 많은 곳을 좋아하지 않아서 회식이나 MT 등은 잘 가지 않았고 그러다보니 집으로 일찍 돌아왔다.

다른 연수생들은 일찍 집에 가서 공부했던 것 같은데, 나는 무슨 공부를 어떻게 해야 되는지 몰라서 그냥 좋아하던 소설책을 읽거나 사회과학 서적을 읽거나 자서전을 읽었다. 그러다가 그 사람과 같이 영화를 보러 가거나 저녁을 먹고 같이 호수공원을 한 바퀴씩 돌았다. 그 사람과 호수공원을 한 바퀴씩 매일 돌았던 것은 연수원 생활 내내 이어졌다.

호수공원을 바라보는 그 사람의 오피스텔은 풍경은 좋지만 방향이 서쪽이라 매일 햇살이 너무 뜨거웠다. 그래서 그 사람은 연수원에서 멀리 떨어진 곳에 있는 넓은 북향 아파트로 이사를 갔다. 그리고 나에게 자주 놀러오라는 의미로 차를 사주었다. 나에게 사준 차가 자기 부모님이 자기에게 사준 차보다 더 좋았기 때문에 나는 그 사람 차를 타고 내 차를 그 사람에게 줬다.

그 사람은 나에게 운전을 가르쳐줬다. 몇 번 가르쳐주고 나서는 화를 내더니 다음부터는 자기가 운전했다. 몹시 편했다.

그 사람과는 미술과 패션에 대한 취향이 잘 맞았다. 그래서 우리는 종종 신제품이 나오는 시즌에 서울까지 가서 백화점마다 들러 많은 제품을 사곤 했다. 갤러리들을 다니면서 의견이 일치하는 작가의 작품들을 사기도 했다. 엄마는 그 사람이 차를 사준 것에 대한 보답으로 이사를 간 그 사람의 집에 리오가구 세트를 사다주었다.

이렇게 보면 무슨 신혼부부 아니냐 싶겠지만 그렇지는 않았다. 나는 오빠가 여자친구를 사귀지는 않고 집으로 데려오는 것을 많이 봤기 때문에 오빠보다 잘생기지 않거나 남자답지 않은 남자에 대해 쉽게 환상을 가지는 일이 없었다.

그 사람과 헤어지게 된 것은 특별한 동기가 있어서는 아니었다. 그냥 더 이상 설레지 않았다. 어느 순간 더 이상 그 사람이 나에게 특별한 의미를 가지지 않는다는 느낌을 받았다.

그런 느낌을 가지게 된 계기가 생각난다.

한 번은 내가 우리 집에서 책을 읽고 있는데, 친구들과 술을 마신 그 사람이 배가 많이 아프다고 하길래 근처 죽집에서 죽을 사서 그 사람 집에 가져다 둔 일이 있었다. 그런데, 연수원 마지막 학기 시험이 끝나고 나서 내가 감기에 걸렸다. 그 사람에게 감기약 좀 사서 와달라고 전화했는데 약간 달가워하지 않는 느낌이었다. 어렸을 때 오빠가 해 준 말이 있다. 나를 여왕님처럼 모시지 않는 남자와는 만나지 말아야 한다는 것이었다. 감기에 걸렸던 그 순간 오빠의 말이 떠올랐고, 더 이상 그 사람에게 아무런 감정이 남아 있지 않다는 생각이 들었다.

마음이 바뀌는 것은 정말 한순간이었다. 그 사람은 나이가 어렸기 때문에 연수원 수료와 동시에 군대 훈련을 받아야 했다. 훈련소까지 같이 가자고 했지만 그러고 싶지 않았다. 그렇게 헤어졌다.

그렇지만 나쁘게 헤어진 것은 아니었다.

나는 항상 천재적인 머리를 가지고 있지만 그걸 풀어내는 것을 귀찮아했던 그 사람 덕에 중요한 시험을 합격하게 된 것에 감사했고, 주변에도 늘 같은 취지의 얘기를 전했다.

헤어진 지 약 6년 만에 그만 내가 김진우에게 문자를 보낸다는 것을 그 사람에게 잘못 보낸 일이 있다. 그 무렵 읽은 하루키의 옛날 책에 대한 것이었는데 왜 주인공들이 죄다 자살하는지 모르겠다는 내용이었다. 그 며칠 뒤에 그 사람에게서 이메일이 왔다.

사실, 그 사람은 나와 헤어진 계기에 대해 잘 이해하지 못한 채 이별을 받아들여야 했다. 그래서 훈련을 마치고 돌아오자마자 나에게 상처를 주는 내용의 이메일을 보냈었다. 나는 그 때 그 사람 메일 주소를 차단했다. 그런데 내가 문자를 잘못 보낸 날 다른 이메일 주소로 나에게 메일을 보낸 것이었다.

이미 헤어질 당시의 악감정은 모두 사라지고 없었고, 문자를 받는 순간 심장이 떨어지는 줄 알았지만 용기를 내서 메일을 보낸다고 했다. 그 사람이 예술을 전공하는 아름다운 아내를 만나 잘 지낸다는 소식을 함께 전해줬을 때 나는 진심으로 기뻤다. 그 사람 이메일의 가장 마지막 문장이 생각난다. 우리가 서로 예기치 못한 장소에서 우연히 만날 것 같다는 내용이었다.

실제로 나는 예기치 못한 장소에서 그 사람을 마주친 일이 있다.

파주에는 출판도시가 있는데, 그 안에 '지혜의 숲'이라고 불리는 거대한 장서고 겸 호텔이 있다. 아빠 장례를 치른 후 나는 신랑과 함께 아빠 산소에 다녀오는 길에 지혜의 숲 호텔에서 하루 머물렀다. 그 때 서고 옆을 지나는 그 사람과 그 사람의 어린 딸을 마주쳤다. 내가 알기로는 내가 아는 사람 중 얼굴 자체는 가장 잘생겼지만 너무나 두꺼운 안경을 쓰는 바람에 아무도 그 사실을 모르는 외모를 지닌 사람이라서 나는 한 눈에 그 사람이라는 사실을 알았다.

그 사람을 알아본 얘기를 하다 보니 그 사람의 안경과 얼굴이 떠오른다.

그 사람은 안경을 벗으면 앞이 안 보일 정도로 시력이 안 좋아서 좀처럼 『안나 카레니나』의 두께만큼 알이 두꺼운 그 안경을 벗는 일이 없었다. 어느 날 보라매공원을 산책할 때 정자에 나란히 앉아 호수를 바라보게 됐다. 그 때 그 사람이 안경을 벗더니 살짝 웃으면서 내 얼굴을 잡고 가까이 가져다댔다. 안경을 벗은 그 사람의 모습을 처음 본 상태라 자세히 보고 싶어서 고개에 힘을 주고 안경을 꼭 잡았다.

그 때 받은 인상은 그리스 신화에 나오는 아도니스가 이런 얼굴이 아니었을까 싶은 것이었다. 아도니스는 미의 여신 아프로디테가 반한 청년 이름이다.

그렇다고 해서 내가 아프로디테라는 말은 아니다.

오징어라는 것을 인정하고 승복한다. 그 사람의 눈이 그만큼 맑고 투명하고 아주 컸다는 의미다. 거기다가 자연스럽게 진 쌍꺼풀에서 긴 속눈썹이 뻗어 나와 눈을 완전히 덮어 그늘을 만드는 모양새였다. 장난기가 생겨서 안경을 가지고 그대로 도망쳤다가 다시 돌아왔는데, 그 사람이 그 크고 아름다운 눈으로 어이없이 쳐다보던 기억이 난다.

파주에서 우연히 만난 얘기를 시작하려다가 얘기가 옆으로 샜다. 나는 신랑과 늦은 브런치를 하기 위해 아래층에 있는 카페로 내려갔다. 거기서 그 사람을 딱 마주친 것이었다. 그 사람은 나를 알아보지 못했다. 신림동 시절과 연수원 시절 나는 긴 머리를 풀어서 다니거나 올백으로 묶고 스튜어디스 같은 모양새로 만들고 다녔다. 그런데 두개골을 연 다음에는 계속 먹어야 하는 약물 때문에 모발에 힘이 없어져서 기르기가 어려워 짧게 잘랐고, 특히 주말에는 주로 모자를 써서 머리를 감을 필요가 없게 하고 다녔던 데다가 실내에서도 선글라스를 끼곤 했는데, 그래서 알아보지 못했다고 생각한다.

그 사람이 귀여운 딸아이를 데리고 있는 모습을 보고 나니 다시 한 번 그 사람을 위해 기쁘다는 느낌이 들었다. 아울러, 안경을 벗으면 세상에서 가장 아름다운 외모를 가진 남자를 아빠로 둔 그 딸 또한 아주 행복할 것이라는 생각이 들었다.

아, 잠깐. 미안하다.

방금 한 말을 취소해야만 한다. 세상에서 가장 아름다운 외모는 아니고, 아홉 번째 정도로 아름다운 외모다. 배우 아미 해머와 알랭 들롱, 정우성, 가브리엘 막트, 금성무, 주윤발, BTS의 김태형, 학자 리처드 도킨스가 그 앞에 들어간다.

그 사람의 안경을 가지고 도망친 얘기를 하니, 신랑이 내 장난에 처음으로 어이없어 하던 순간도 생각난다.

앞에서도 얘기했지만 우리 집안은 공부니 뭐니 다 필요 없고,

오로지 웃겨야만 인정받을 수 있었다. 그런데, 내가 제일 안 웃겼기 때문에 나는 몸개그로 승부를 보는 수밖에 없었다. 몸개그는 한 번 시작하다 보면 어디로 샐지 알 수 없는 상태가 되고, 아무도 웃지 않는 상태가 되면 혼자서 머릿속으로 웃기는 상상을 끊임없이 하게 된다. 내 경우에는 다른 사람이 양치를 하고 있을 때 몰래 뒤로 다가가서 바지를 확 잡아 끌어내리는 변태적 행위가 유일한 승부수가 됐다.

아주 어렸을 때는 상상만 했다가 좀 커서 실행에 옮겼다. 가족들은 대개 뒤돌아보면서 화를 내거나 재빨리 벗겨진 바지를 다시 추켜올리는 행동을 했다. 그런데 오빠는 아무 반응도 보이지 않고 가만히 닦던 이를 마저 닦고 세수까지 한 다음에 바지를 입었다. 그래서 오빠한테는 재미가 없어서 바지 내리는 일은 더 하지 않고, 대신 오빠가 화장실에 책을 들고 갈 때 밖에서 불을 껐다. 오빠는 문을 열고 긴 팔을 더듬어서 다시 불을 켠 뒤에 마저 볼일을 보고 책도 읽었다.

오빠가 얄미워서 화장실에 들고 간 책에서 냄새가 난다고 했더니 그 냄새는 은은한 향기니까 잘 맡아두라고 했다.

결혼한 후에 신랑과 나는 서로 다른 화장실을 사용했다.

신랑은 안방 화장실을 사용하고 나는 거실 화장실을 사용했다. 안방 화장실은 세면대와 거울이 입구에서 직각으로 설치돼 있고, 거실 화장실은 세면대와 거울이 입구와 평행하게 설치돼 있었다. 하루는 신랑이 잠옷을 입은 채 내 화장실에서 거울을 보면서 양치를 하고 있었다.

나는 동남아에서는 고양이라고 표시하는 시간에 태어났다. 동북아에서는 토끼로 표시한다. 조용히 슬금슬금 소리 안 나게 다가가서 상대방을 급습하는 것을 좋아한다는 의미다.

신랑이 뒤로 돌아 서 있는 약한 모습을 한 상태를 확인하자마자 본능이 발동했다. 거울에 비치지 않게 낮은 포복 자세로 다가가 잠옷 바지를 확 끌어내린 다음 잽싸게 도망쳤는데, 다리가 긴 신랑이 더 빨리 쫓아와서 내가 안방으로 도망쳐 문을 잠그기도 전에 붙잡혔다. 다시는 안 하겠다고 각서를 쓰고 나서 풀려났다.

각서 얘기를 하니 신랑에게 각서와 반성문을 써줬던 일이 더 생각난다.

신랑은 더위를 많이 탔다. 그래서 잘 때도 봄부터 가을까지 계속 에어컨을 켰다. 나는 추위를 많이 탔기 때문에 견디지 못하고 서쪽 방으로 가서 잤다. 그런데 신랑이 신혼부부가 따로 자는 거 아니라고 해서 나는 에어컨을 끄면 동쪽 방에서 자겠다고 했다. 신랑이 속옷만 입고 자기로 하고 에어컨을 껐다가 내가 잠이 들자 다시 켰다. 일어나보니 나는 추위에 떨고 있고 신랑은 자고 있었다. 그래서 신랑의 손발을 선물용 포장 끈으로 묶고 사진을 찍어 액자에 넣은 뒤 침대 옆 협탁에 올려뒀다. 나는 사디스트로 몰려서 각서를 쓰고 풀려났지만 다음부터는 에어컨 없는 방에서 잘 잘 수 있게 됐다.

신랑에 관한 부분이 사디즘으로 마무리돼서는 안 될 것 같다. 신랑은 종일 일을 했기 때문에 일단 누우면 바로 코를 골았다. 코를 매우 시끄럽게 골기도 했다.

그래서 가끔 자기 코 고는 소리에 놀라 깨서 물었다.

"나 코 골았니?"

내가 아니라고 하면 다시 곤히 잤다.

내가 맞다고 하면 "어떡하지?"라고 묻고는 다시 곤히 잤다.

# 지도검사

내가 이 업계에 들어서게 된 계기에 대해 잠깐 설명했었다.

검찰청에서 두 달 시보를 하던 경험 때문이다. 그 때 나는 계속 일산에서 살고 있었는데, 지금도 그렇지만 차가 막히는 것을 제일 싫어한다. 법관 수습은 부천에서, 변호사 수습은 여의도에서 하게 됐는데, 일산에서 멀지 않은 거리였다.

그런데, 검사 수습은 서초동에서 하게 됐다. 그러다 보니 6시에 일어나서 차가 막히지 않을 때 출발해 7시면 도착했다. 검사님은 내가 성실하다고 생각해서 일을 많이 줬지만 차가 막히는 것이 싫어서 일찍 출근한다고 진실을 얘기할 필요까지는 없었다. 차가 막히는 것이 싫었기 때문에 퇴근도 러시아워가 끝난 9시쯤 했다. 역시 검사님에게 좋은 인상을 줘서인지 일을 더 많이 줬다.

아, 잠깐. 중간에 빠뜨린 부분이 있다.

나는 신림동에 가기 전 대학원에 다니다가 우연히 금융감독원 시험을 본 일이 있었다. 그 때는 외환위기 직후라 금융감독기구

통폐합 요구로 인해 새로 감독기구를 만들었는데, 그래서 처음으로 직원을 모집했던 거였다. 그런데 그만 전공분야 수석으로 뽑혔던 것이다. 그래서 난생 처음으로 금융거래 분석이라는 것을 알게 됐다. 그리고 증권거래법도 다루게 됐다.

그런 배경이 있어서 검사실에서 시보를 할 때 주가 조작 사건을 하나 맡게 됐다. 거래내역을 분석했더니 허위 공시를 통해 주가 상승을 주도하고 그 후 대주주들이 주식을 팔아 시세 차익을 챙겼다는 혐의로 고발된 사건이었다. 회사는 유령회사로 추정된다는 내용이었다. 여러 가지 사실관계를 확인한 뒤 고발된 내용이 맞는 것 같아서 당사자의 얘기를 직접 들어볼 필요가 있다고 생각해 일단 중요 인물 한 명을 참고인 신분으로 소환해서 물어보기로 했다.

그 사람은 유명 연예인의 배우자였고, 본인 자신의 외모도 상당히 호감을 주는 타입이었다. 조사를 하는 도중 그 사람이 뭔가 심상치 않다는 사실을 눈치챘는지 나에게 지금 자기 차에 있는 에르메스 가방을 주겠다는 말을 조심스럽게 꺼냈다. 즉시 그 사람을 뇌물공여의사표시 현행범으로 체포하고 입건하겠다고 했더니 사무실 가운데에서 자기 일을 하던 검사님이 깜짝 놀라 쳐다봤고, 그 순간 그 사람이 바로 말을 바꿔 자기가 에르메스 상표를 좋아한다고 말한 것이라고 둘러댔다. 실없는 소리를 한 것 같지는 않아서 그 사람의 동의를 받아 수사관이 자동차 열쇠를 가지고 그 사람 차를 수색했고, 실제로 에르백이라고 불리는 캔버스와 가죽으로 된 에르메스 가방이 하나 나오기는 했다.

에르백은 에르메스 가방 중에서도 엔트리 레벨이라 큰 가치는 없지만 어쨌든 내가 들은 말이 사실이라는 증명은 됐다. 그래서 입건을 하려면 할 수도 있는 상황이었지만 검사님과 수사관이 그 사람이 에르메스 가방을 주겠다고 한 말을 못 들었기 때문에 검사님과 상의해서 그 일은 해프닝으로 정리하기로 했다. 그렇지만 그 일로 나는 검사님의 신뢰를 더 받게 된 것 같다. 더 어려운 사건들을 더 많이 받았기 때문이다.

내가 이 업계에 들어와야겠다고 결심한 계기가 된 사건이 있다.

나는 원래 독립적인 여성이 되는 것이 목표여서 로펌 변호사가 되려고 했었다. 그 지도검사님은 수원에 있다가 서초동으로 오게 됐는데, 수원에서 선출직 공직자를 뇌물수수죄로 구속 기소해둔 사건의 재판을 직접 담당하고 있어서 재판 기일이 되면 수원에 가야 했다. 업무로 가는 것이라 관용 아반떼를 타고 갈 수 있었고, 운전요원이 운전을 하는 도중 검사님은 뒷좌석에서 기록을 검토할 수 있었다. 시보 프로그램에는 재판을 참관하는 과정이 들어 있는데, 실제로 기소된 뇌물 사건의 재판을 보는 것이 생생할 것 같아서 나도 같이 가게 해달라고 했다. 검사님이 머뭇머뭇하다가 그러자고 했다.

검사님은 그 사건 마지막 재판일 전에 미리 200페이지쯤 되는 의견서 검토를 나에게 맡긴 뒤 함께 재판정에 데리고 갔다. 마지막 증인신문과 피고인에 대한 재신문이 있었는데, 200쪽가량의 의견서에 들어 있는 증거와 참고인들의 증언 내용, 주유 기록, 일자별로 기록된 운행 일지까지 모두 기억해서 폭포수처럼 질문하는 내용에 상대방 측 증인과 피고인이 제대로 대답하지 못하는 것을 보고 깊은 인상을 받았다.

그 때부터 그 검사님의 팬이 됐고, 목표 직업을 변호사에서 이 업종으로 바꿔야겠다고 생각했다. 돌아오는 길에 검사님이 뜻밖의 얘기를 꺼냈는데, 그건 출세보다는 칼을 바르게 쓸 자신이 있어야만 이 길에 들어올 자격이 있고, 그렇지 못한 사람들로 인해 진실이 왜곡된다는 얘기였다. 그 때는 그게 무슨 의미인지 몰랐지만 2년 뒤에는 알게 됐다.

그 검사님은 나중에 내가 소신을 지키기 위해 상사에 대한 감찰을 청구했을 때 나를 증인으로 신문하는 위원회의 당연직 위원으로 앉아 있었다. 원래 말이 별로 없는 과묵한 검사였지만, 그 자리에서는 더 과묵하고 외로운 야생 늑대처럼 보였다. 아마 내가 증언을 마치고 떠난 뒤 내가 감찰을 청구한 상사들에 대한 중징계 의견을 냈던 것 같았다. 그 뒤로 그 검사님도 더 이상 크게 출세하지 못하고 그만뒀다. 내가 감찰을 청구한 상사들은 중징계가 청구됐다가 경징계로 의결되고, 결국은 법원에서 징계 취소 판결을 받았다.

이 업계가 그렇게 돌아가는 것 같다.

나는 감찰을 청구한 직후 두 차례의 징계를 받았다. 마이클 잭슨의 노래 중 「They don't care about us」라는 곡이 있다.

세상이 그렇게 돌아가는 것 같다.

그렇지만 이 이야기는 아직 끝나지 않는다. 그렇게 징계를 받은 후 새로운 세계가 펼쳐졌기 때문이다.

2부

# 로마 제국

# 대부 2

로마는 원래 귀족들의 집합체인 원로원과 시민들의 지도자인 호민관이 통치를 담당하는, 넓은 의미의 공화정이었다. 그러다가 1차 삼두정치의 당사자들끼리 1차 내전이 벌어져 갈리아와 브리튼 정복의 영웅인 군인 출신의 카이사르가 무력으로 경쟁자들을 제거하고 단독 통치자인 집정관이 된 후 암살당했다.

이후 카이사르의 양자인 옥타비아누스가 2차 내전을 무력으로 진압하고 로마 제국의 첫 황제가 됐다. 로마의 황제들은 지속적으로 군인 반란에 시달려, 제 명에 자연사한 황제는 손에 꼽을 정도로 적었다. 중간에 발각된 군인 반란도 많았다.

프란시스 포드 코폴라 감독의 영화 「대부 2」에는 로마의 군인 반란 이야기가 나온다.

조직의 중간 보스인 펜탄젤리는 경쟁자의 계략에 빠져 주인공인 마이클 콜레오네가 자신을 죽이려 했다고 잘못 알게 된 나머지 정부 편에서 마이클의 범죄조직의 실체를 증언하려고 했다가 마이클이 펜탄젤리의 형을 인질 비슷하게 청문회 현장으로 데려온 것을 보고 증언을 포기하게 된다.

마이클의 의붓 형이자 집안의 법률문제 해결사인 톰 하겐이 증언을 포기한 펜탄젤리를 찾아가 반란에 실패한 로마 장군 이야기를 꺼내자, 펜탄젤리는 이렇게 말한다.

"로마에서는 반란에 실패한 장군은 자살했지. 가족들을 살려 달라는 조건으로."

그리고 펜타젤리는 자살한다.

군사반란을 옹호하고자 하는 얘기가 아니다.

나는 우리나라가 견고한 귀족사회인 로마 제국과 진정한 공화적 민주주의를 꿈꾸는 드리머(dreamer)들의 각축장이라고 생각한다.

이 장은 드리머들의 도전에 관한 이야기다.

# 설란이 언니

내가 혼자 다니는 것을 좋아하고 친구를 거의 사귀지 않는다는 얘기는 앞에서 몇 번 했던 것 같다. 대신 나는 깊은 관찰 끝에 존경할 만한 사람을 발견하면 적극적으로 선물도 하고 존경한다는 표현도 하는 편이다.

연수원 다닐 때 수업 시간과 밤 시간을 제외하고는 종일 아도니스와만 같이 다녔던 얘기는 앞에서 했다.

밤에는 정말 같이 있지 않았냐는 의문은 혼자서 해결해주기 바란다. 오징어에게도 사생활이라는 것이 있다, 이 말이다.

연수원 다닐 때 존경할 만한 동기 언니를 발견했다.

내 존경은 약간 특이한 성격이기는 하다. 일단 외모가 받쳐줘야 하고, 차림새가 우아해야 하며, 생각의 폭이 나보다 넓어야 한다. 설란이 언니가 딱 그 조건에 맞았다. 언니는 작은 얼굴, 적절한 키, 서구적 외모에 허리가 얇고 가늘었던 데다가 가슴은 볼륨감이 있고, 항상 단정한 정장에 루이비통 모노그램 네버풀을 들고 다녔다. 나는 여기 들어오기 직전까지도, 뉴욕에서 유명 업체의 디자이너로 일했던 외삼촌 덕에 최신 유행하는 패션 아이템 샘플들을 매 시즌마다 받아 사용할 수 있었고, 외삼촌이 내 사이즈에 맞게 맞춰주는 의류 덕분에 일 년 내내 같은 옷을 입는 날이 거의 없으며, 가방도 같은 가방을 세 번 이상 가지고 다니지 않는 습성이 있었다.

외삼촌을 친척으로 둔 나의 모든 가족과 친척들이 다 그렇다는 뜻은 아니다. 나만 그렇다.

그래서 검사 시보를 할 때 에르메스 가방을 주겠다는 말을 듣고도 별로 솔깃하지 않았다. 이미 에르메스에서도 최고가라는 포로수스와 닐로티거스 악어 버킨도 집에 여러 개 있었는데, 엄마가 별로 좋아하지 않아서 나에게 쓰라고 했기 때문이다.

그렇지만 엄마도 히말라야 버킨은 안 주셨다.

외삼촌 얘기를 하니 뉴욕 시절이 생각난다.

뉴욕은 가고 싶어서 간 것은 아니었다.

대학교 3학년 때 오빠가 쓰던 방에 혼자 있었는데, 엄마와 아주머니는 장을 보러 간다고 나갔고 나는 학교에 가지 않은 채 책을 보고 있던 중이었다. 그런데 1층에서 움직이는 소리가 났다. 말소리도 들렸다. 갑자기 등골이 써늘해지면서 이상한 느낌이 들어 1층에 전화를 했다. 엄마가 시장에 갔다가 되돌아왔으면 전화를 받았을 텐데 아무도 전화를 받지 않았다. 그래서 전화기 선을 조심스럽게 침대 뒤로 돌린 다음 발코니에 커튼을 치고 발코니 밖으로 나가 경찰에 전화를 하려고 했다. 그런데 너무 긴장해서였는지 112 대신 114에 전화를 걸었다.

"어디 전화번호를 알고 싶으세요?"

아무 생각 없이 언니 회사 이름을 댔고, 언니 회사 교환원이 받자 언니를 바꿔달라고 했다. 언니가 짜증스러운 목소리로 왜 낮에 전화를 하느냐고 물었다. 내가 말을 더듬으면서 버벅대자 침착한 음성으로 자기가 경찰을 부르겠다고 했다. 나는 전화를 끊고 조심스럽게 난간을 타고 정원으로 내려온 다음 대문을 열고 맨발로 단골 슈퍼마켓까지 도망쳐서 다시 경찰에 신고했다.

그날 우리 집에는 3인조 강도가 들었던 것이었다.

알고 보니 아주머니가 엄마와 장을 보러 간다고 미리 알려둔 시간을 노리고 들어온 것이었는데, 아주머니는 내가 그날 학교에 안 간 것을 몰랐다. 강도범들은 현관에 있던 골프채를 2층까지 가지고 와서 이곳저곳 찾아보다가 골프채를 오빠 방 침대 위에 올려둔 뒤 경찰차 사이렌 소리가 들리자 도망치려다가 붙잡혔다.

우리 집은 대문에서 현관까지는 직선으로 되어 있고, 건물 양옆에는 각각 지하 보일러실과 지하 창고로 들어가는 계단이 있다. 그날 이후 나는 건물 양 옆 계단에서 강도들이 숨어 있다가 내가 현관문을 열려고 할 때 다가와서 골프채 같은 것으로 머리를 때릴지도 모른다는 공포감에 시달렸다.

그래서 상의 끝에 당분간 미국에 가 있기로 했다. 그 때 오빠가 있는 패서디나로 갈 것인지 아니면 작은 외삼촌이 있는 뉴욕으로 갈 것인지 선택했어야 했는데, 외삼촌이 나를 많이 보고 싶어 해서 뉴욕으로 선택했다. 외삼촌은 아주 어렸을 때 뉴욕에 자리 잡아서 센트럴파크 바로 옆 아파트가 저렴했을 때부터 거기 살았다. 덕분에 나는 첫날부터 매일 센트럴파크를 한 바퀴씩 돌다가 한 달쯤 지난 다음에는 외삼촌의 권유로 뉴욕시립대에서 영문 작성 코스를 청강했다. 보통 뉴욕시립대는 '큐니'(CUNY)라고 부른다.

하루에 한 시간만 청강하면 되는 스케줄이어서 매일 센트럴파크에서 파이낸셜 스트리트가 있는 학교까지 걸어갔다가 가끔 소호에 들러 책을 몇 권 사서 다시 걸어서 집까지 돌아왔다. 지금도 그렇지만 뉴욕시립대는 학비가 거의 없어서 대부분 흑인 친구들이 많이 다녔고, 나는 그게 너무나 좋았다. 내가 가장 좋아하는 가수가 마이클 잭슨이고, 마이클이 사랑하는 다이애나 로스도 아름다운 흑인이었기 때문인 것 같다. 학교에서 만난 친구들도 모두 흑인이었는데, 너무너무 친절하고 따뜻했으며, 열정과 창의력이 넘쳤다.

그 중 제이미라고 불렸던 친구가 생각난다.

제이미는 내 또래의 흑인이었지만 체구가 장대하고 운동도 많이 했는데, 큐니에서 2년 공부를 마치면 콜롬비아로 전학할 계획을 가지고 있다고 했다. 내가 워낙 영어도 못하고 어리숙하니까 느릿한 속도의 영어로 학교도 안내해주고, 조금 더 친해졌을 때에는 거의 매일 수업 끝나고 나를 집까지 바래다줬다. 어쩌다가 같이 자주 다니다 보니, 자기 부모님은 이혼하고 엄마는 광고회사에 다닌다고 했고, 집은 리틀 브라질에 있는 건물의 2층이라는 얘기까지 나오게 됐다.

하루는 집에 가는 길에 제이미의 집에 들러 커피를 마시게 됐는데, 그 집은 적갈색 벽돌에 회백의 석회를 바른 외장과 내장이 그대로 인테리어로 사용되고 있어 따뜻한 느낌이 들었다. 그 때 나는 오빠가 가르쳐준 영어 표현을 잘 몰랐으면 제이미와 인생 일대의 잊을 수 없는 사태까지 갈 수도 있었다고 생각했다. 그 표현은 이것이다.

"I don't sleep around."

제이미가 커피 물을 내릴 때 내가 더듬거리는 영어로 그 말을 꺼내자마자 제이미는 배가 뒤집어지도록 웃었다. 나 혼자 착각했던 것이었다. 우리는 커피를 잘 마시고, 냉장고에 있던 피칸 케이크를 꺼내먹고 다시 우리 집으로 향하는 길로 떠났다. 가끔 우리 집까지 가는 길에 제이미와 센트럴파크를 산책하기도 했다. 그렇게 한 학기를 제이미라는 멋진 친구와 함께 즐겁게 보냈다.

지금도 센트럴파크를 생각하면, 나를 우습게 여겼지만 항상 듬직하고 젠틀함을 잊지 않았던 제이미가 떠오른다. 나는 지금도 그 때 제이미의 집에서 본 붉은빛 벽돌과 흰색 석고로 된 건물을 정말 좋아한다. 그래서 우리 집을 골라야 하는 순간, 나는 제이미의 집에서 본 벽돌을 사용한 집을 골랐다.

제이미와 센트럴파크를 생각하다 보니 브라이언이 또 생각난다.

브라이언은 항상 자기 이름의 마지막 글자는 'Q'이고 그건 묵음이라고 장난을 했다. 뉴욕시립대는 캠퍼스가 여러 개인데, 나는 그 중에 파이낸셜 스트리트에 있는 버로우 맨해튼 커뮤니티 칼리지를 다녔었다. 학교에서 집으로 돌아오는 길에 브라이언트 공원이 있다. 브라이언에서 't'가 하나 더 붙은 형상이다. 그래서 나는 브라이언과 대화를 나눌 때 브라이언의 이름을 내 마음대로 브라이언트, 브라이언큐, 브라이언느, 브라이언스 등으로 불렀다. 브라이언은 그런 내 장난을 너무 좋아해서 다음 날은 뭐라고 부를 거냐, 이제는 철자가 더 없는 것 아니냐고 놀리곤 했다. 그래서 독일어에 붙는 움라우트를 붙이겠다고 했더니 그것만은 안 된다고 했던 기억이 난다.

설란이 언니 얘기와 가방 얘기를 하다가 너무 옆으로 많이 새고 말았다.

내가 하고 싶었던 얘기는 바로 이거다. 외삼촌 덕으로 다양한 럭셔리 아이템에 묻혀 살아야만 아름답다고 믿어왔던 나와는 달리, 설란이 언니는 1년 내내 가방 하나만으로도 너무나 빛이 나고 단정했으며 또 우아하기 이를 데 없었다. 언니는 내가 졸업한 학교 국문과 선배였는데, 고등학교 국어 선생님을 하다가 불현듯 변호사를 해야겠다는 생각이 들어 시험 준비를 시작하게 됐다고 했다. 그래서 연수원생 중에서 나이와 경력이 많은 편이어서인지 자치회 임원도 맡고, 같은 반에서 일어나는 일에 대해 다정한 상담도 해주곤 했다.

연수원에 다닐 때는 언니의 우아함과 매력을 혼자만 느끼고 있었는데, 수료할 때쯤 엄마 친구분에게 건물 철거 관련한 민사적인 문제가 발생했다. 언니는 수료 후에 곧바로 민변에 가입한 후 법률사무소에 들어갔는데, 왠지 언니가 맡아주면 정직하게 처리할 것 같은 느낌이 들었다. 그래서 엄마 친구분께 한 번 상담을 받아보시라고 전달하고 잊고 있었다.

민변이 도대체 뭐냐고 궁금해하는 사람도 있다는 말을 들었다.

민변은 '민주사회를 위한 변호사 모임'이라는 단체인데 군사정부 시절 국가보안법 위반 사범으로 몰려 구속당하는 사람들을 무료로 변호해주던 변호사들이 만든 단체다. 지금은 워낙 프락치들도 많지만 언니가 들어갔을 때에는 진정 돈 없고 힘든 상황에 처한 사람들을 성심성의껏 변호해주는 모임이었다. 언니는 기대대로 엄마 친구 사건을 잘 해결해냈고, 그 인연으로 건물 철거를 앞둔 그 동네의 많은 분들의 사건을 함께 맡게 됐다고 했다.

그런데, 막상 다른 분들은 조건과 권리가 달라 원하는 결과가 나오지 않게 됐다. 그러자 언니는 미련 없이 수임료에서 실비를 제외하고 전액을 돌려드렸다.

그뿐 아니라, 언니는 우리 연수원 교수님이 재판장인 사건에서도 의뢰인이 중간에 정반대되는 주장으로 말을 바꾸자 선고 직전에 사임계를 내버리고 수임료 전액을 돌려줬다. 가만히 있었으면 성공보수까지 받을 수 있는 상황이었는데도 자신의 정직성을 우롱하는 의뢰인과의 업무관계를 지속하고 싶지 않아서였다고 들었다.

나는 그렇게 돈보다 신뢰를 중시하는 설란이 언니가 참 좋았다.

설란이 언니가 무슨 부유한 집안 출신이거나, 경제적 여유가 많아서 그런 게 아니었다. 그냥 그게 옳은 일이었기 때문이었다.

여기까지는 나 혼자 설란이 언니를 좋아하고 존경한 얘기다. 내가 설란이 언니와 개인적인 친밀감을 가지게 된 계기는, 그렇지만 따로 있다.

나는 두개골을 여는 큰 수술을 하고 1년 정도 쉴 수 있었다. 수술에서 회복되고 나니까 그간 존경했던 친구들이 보고 싶었다. 그래서 무작정 설란 언니 사무실에 찾아갔다. 사무실 이름도 청송으로 참 아름다웠고, 언니는 사무실에서 하이든의 현악사중주를 들으면서 사건을 검토하고 있었다.

그 때 언니가 맡은 사건은 용산 강제철거 피해자 사건이었다.

그 사건을 계기로 언니는 재개발 관련 법리를 완전히 숙지하고, 도시개발 분야 전문가가 됐다. 그 경험으로 언니는 그 무렵에 있었던 시장 선거 캠페인에 도시재개발 전문가 자격으로 참가했는데 언니가 참가한 팀이 이겼다.

나는 대학교 다닐 때 우연히 신문에서 어쩌다가 그 때 시장 선거에 출마해서 이긴 분에 관한 글을 읽고 막연히 그분을 좋아하게 된 일이 있다.

별로 특별한 계기는 아니었다.

내가 9살의 어린 나이로 민주화 투사가 된 일은 앞서 설명한 사실이 있다. 그 때부터 나는 나이와 성별 그리고 직업과 외모를 불문하고 민주화 투사는 모두 내 친구라고 생각하는 습관이 생겼다. 민주화 투사의 친구도 내 친구라고 생각하게 됐다.

최루탄을 좀 많이 맞으면 그렇게 된다. 내가 읽었던 기사에서 그분은 민주화 투사라고 소개되어 있었기 때문에 그분은 그 때부터 내 친구가 됐다. 그분은 내가 누군지 전혀 몰랐지만, 하여간 내 친구가 된 것이다.

언니는 이미 내가 존경하는 친구였어도 내 민주화 투사 친구의 친구니까 이중의 친구가 됐다. 그래서 나는 감찰 청구에 대해 회사로부터 보복당할 상황이 되자 설란이 언니를 변호인으로 선임하려고 했다.

감찰 청구나 보복이 뭐냐는 궁금증이 제기될 수 있다. 조금 기다리면 뒤에 들을 수 있는 시간이 온다.

인내심을 가져야 한다.

하여간 나는 이 업계에 종사하면서 소신을 지켰다는 이유로 사법적 보복을 당하는 상황에 놓이게 됐고, 그래서 평소에 이중의 친구이자 존경하는 선배이자 아름다운 몸매와 훌륭한 인격의 소유자인 설란이 언니를 떠올리게 됐다.

그런데, 그 순간 언니는 마침 다른 중요한 프로젝트에 참여하고 있어서 시간이 되지 않았다. 그래서 언니는 다른 분을 소개시켜 주었다.

# 모피어스

나는 그분을 모피어스라고 부른다.

맞다, 「매트릭스」 시리즈에 나오는 그 모피어스다.

그분을 바로 소개받은 것은 아니다. 민변이라고, 지금은 첩자들도 많고 어용도 많지만 원래는 독재에 항거한 변호사들이 모여 만든 단체를 통해 소개받았다. 나는 설란이 언니가 민변 소속이라는 얘기만으로도 민변을 내 친구로 삼은 지 꽤 오래됐다.

민변은 내가 자기들 친구인지 아직 모르지만 상관없다.

알고 보니 독재에 항거했던, 고등학교만 졸업한 인권변호사 출신 대통령, 그 친구인 인권변호사 출신 대통령도 모두 민변 출신이었다. 설란이 언니가 민변 소속 변호사들을 통해 내 사건을 맡아줄 수 있는 사람을 물색해줄 분을 알아봐준 것이다.

너무나 죄송하게도 모피어스 변호사는 민변계에서는 이미 매우 유명한 분이었지만 남에게 도통 관심이 없는 나로서는 누구인지 전혀 몰랐다. 사건에 관한 자초지종을 이메일로 주고받은 후 대면하여 대화를 나누기로 했다.

처음 뵙는 분과 조용히 식사할 수 있는 정중한 장소로는 헌법재판소 앞 로씨니가 있다. 이탈리안 레스토랑이다.

와인도 판다.

로씨니를 떠올리니 대학 다닐 때 기억이 난다. 로씨니에서 처음 보는 사람과는 절대 먹어서는 안 되는 메뉴가 오징어 먹물 파스타다. 먹고 나면 입술과 치아와 잇몸이 디즈니 만화 「인어공주」에 나오는 우르슬라처럼 시커멓게 변하기 때문이다. 우르슬라는 이제는 작고한 유명한 여성 건축가 자하 하디드의 이미지에서 따왔다. 초대형 여성 문어인데, 얼굴은 코가 길고 입체적인 건축가라고 생각하면 된다.

어찌 됐든, 로씨니의 오징어 먹물 파스타는 스토커를 떼어내기 위해서는 가장 좋은 장소와 메뉴라고 할 수 있다. 다만, 그 스토커가 검푸르딩딩한 잇몸과 입술과 혀를 좋아하는 변태일 경우에는 역효과가 난다.

나와 수업을 자주 들었던 훈훈한 선배가 있었는데, 교양 불어 수업을 같이 듣던 초등학교 동창이 그 오빠를 소개해달라고 했다. 약속 장소를 로씨니로 정하고 거기서 만났다. 그 친구가 그때 하필이면 오징어 먹물 파스타를 주문했는데, 원래 예쁜 친구였는데도 우르슬라가 됐다.

두 사람은 잘 안됐다고 들었다.

그럼에도 로씨니는 괜찮은 음식점이다. 스테이크도 맛있다. 나를 도와주겠다고 한 변호사님을 거기서 처음 뵈었다. 그 때는 삼월 말이었다. 약간 눈 비슷한 비가 내리는 날이었다.

모피어스가 들어오는 줄 알았다.

긴 양가죽 코트를 입은 신사가 서류가방을 들고 들어왔다. 「매트릭스」에서 모피어스가 입는 가죽 코트는 사실 여러 벌이다. 1편에서는 양가죽이지만 2편이 되면 악어가죽으로 바뀐다. 악어가죽도 뱃가죽은 비싸기 때문에 가방을 만들어 팔아야 돼서 등가죽으로 쓴 것 같다. 코트를 만들 때에는 등가죽이 더 위력적으로 보이기는 한다. 악어가죽 코트에 비하면 양가죽 코트는 젠틀해 보이는 것이 맞기는 맞다. 그분은 그렇게 긴 양가죽 코트를 입고 왔다. 그리고, 사건을 맡아주겠다고 했다.

아마 이 업계에 종사하는 사람으로부터는 처음 의뢰받은 것인지 저렴하게 부르시길래 통상 받으시는 액수에 부가세까지 같이 청구해달라고 말씀드렸다. 그래서 내 사건을 모피어스에게 맡겼다.

내가 이렇게 송사에 휘말리게 된 계기가 있다.

여러 번 얘기했지만, 나는 일 말고는 독서와 음악 감상 그리고 예술품 수집이 취미다.

아, 산책도 취미다. 잠깐 까먹었었다.

두개골을 열면 이렇게 깜빡하는 상황이 자주 발생한다. 이해해줘야 한다.

어찌 됐든 내가 즐기는 것은 모두 혼자 할 수 있는 취미생활이다. 그래서 취미생활은 주로 혼자 하고 남는 시간에 일을 열심히 한다.

제주도에서 일할 때의 얘기다.

여러 사건을 한꺼번에 검토하고 있었는데, 고소된 사람이 모두 같은 여성이었다. 한 사건에서는 자기가 호텔 체인 업체인 쉐라톤 대표이사라고 하고, 다른 사건에서는 자기가 유명 국립대 병원 운영국장이라고 하고, 또 다른 사건에서는 외국계 유통업체 부사장이라고 했다. 하나씩 보면 여자 말이 맞아 보였지만 비슷한 시기에 서로 다른 사람한테 자기 직업을 다르게 말하면서 투자비 명목으로 돈을 받은 것을 보면 사실관계를 자세히 확인해야 했다. 그래서 각각 사건의 형사님들과 협력해서 실제로 쉐라톤, 국립대 병원, 유통업체에서 근무하거나 급여를 받은 사실이 있는지 여부부터 다각도로 확인했다.

근무지를 확인하는 가장 기본적인 방법은 각 회사에 공문을 보내 취업일과 퇴직일을 문서로 알려달라고 하는 것이고, 더블 체킹 방법은 건강보험공단에 등록된 건강보험료 원천징수 업체를 확인하는 것이다. 트리플 체킹 방법은 국세청에 근로소득세 원천징수자를 조회하는 것이다. 세 방법 다 동원했는데 호텔, 병원, 유통업체 모두 그 여자와 아무런 관련이 없는 것으로 나왔다. 사람들을 속여서 받은 투자비를 어디에 썼는지 계좌 거래 내역 조회를 통해 확인해보니 과소비한 빚을 갚은 것이었다.

그런데 그 여성 체납 내역 중 이상한 법인이 나왔다.

그 여성이 대표였고, 그의 변호사라는 사람이 이사로 등재돼 있었다. 계좌 거래 내역 중 그 여성의 변호사라는 사람이 그 여자에게 수억 원씩 돈을 보낸 내역도 나왔다. 여성이 빌린 돈인지, 아니면 변호사가 탈세를 위해 여자 계좌를 이용한 것인지 확인이 필요했다.

여성은 자신은 아무런 죄가 없다고 주장했다. 누구나 주장은 자유롭게 할 수 있고, 주장을 입맛에 맞게 바꾸기 위해 진술을 조작하거나 자백을 강요할 필요는 전혀 없다. 그 무렵 문자 송수신 내용과 이메일 내용을 보면 되기 때문이다. 그래서 여성의 휴대 전화와 이메일과 카카오톡에 대한 압수수색 영장을 청구했다. 평소 일반적 의미의 친정어머니처럼 자상하게 지도해주던 상사가 정성껏 수정해 결재까지 해줘서 압수수색 영장이 법원에 잘 접수됐다.

문제는 그 여자의 변호사라는 사람이 그 무렵 있었던 대통령 선거에서 유력 후보자의 관계자였다는 사실이었다.

법원에 접수됐던 영장 청구서가 갑자기 사라졌다.

나중에야 알고 보니 전날 법원에서 누가 내 영장 청구서를 몰래 가져갔다고 했다. 그날은 시보가 하루 휴가를 내야 되는 문제가 있어서 출근하자마자 직근 상사에게 시보 문제를 보고하러 갔다.

이렇게 쓰고 보니 상사가 몇 겹이냐는 질문이 제기될 것 같다. 통상 상사는 세 겹이다. 직근 상사, 그 위 상사, 제일 위 상사. 내가 청구한 압수수색 영장은 직근 상사와 그 위 상사까지가 결재 라인이다. 제일 위 상사는 몰라도 되는 일이다. 규정이 그렇다. 시보 문제로 보고를 하러 갔는데 직근 상사가 난데없이 그 여성 사건에 대한 추가 수사를 중단하고 바로 처리하라고 했다. 어제 영장 청구서를 자기가 결재해서 법원에 접수했는데 수사를 중단하라는 걸 보니 또 압력을 받았구나 하는 감이 왔다.

그 때 직근 상사가 압력을 받았다는 느낌이 온 이유가 있다.

내가 장애인이 된 계기가 된 사건이기도 하다. 지도검사 얘기하던 부분에서 이 얘기를 꺼냈는데, 나는 지도검사로부터 지도받고 이 업계에 들어온 지 2년 만에 이 업계가 추잡스러운 돈과 관련되어 있고, 추잡한 돈은 전관의 수임료이며, 전관의 수임료가 걸린 사건에서는 진실 왜곡을 위해 누군가를 희생시킨다는 사실을 알게 됐다.

1년 차 때는 몰랐다.

어떤 급의 전관 변호사가 선임되건, 심지어 방금 나간 검사장이 선임되더라도 실체 진실이 중요하다고 하는 멋진 직근 상사를 만나서였다. 그 정직하고 멋진 직근 상사와 이 업계에서 두 달 시보하던 시절 수사 노하우를 모두 알려준 지도검사 덕분에 나는 이 업계 초임 종사자 중 전국에서 가장 일을 잘한다는 평가를 받았다.

그런데 2년 차가 되니까 멋진 직근 상사는 다른 사람으로 바뀌었고, 교수가 뒷돈을 받고 무자격자를 학생으로 입학시켜준 사건도 처벌할 수 없게 됐다.

공범들은 처벌할 수 있었다. 전관 변호사가 없었기 때문이다.

내가 교수 사건에서 그냥 포기했던 것은 아니다. 처음에는 구속 기소하라고 했던 상사가 전관 변호사가 들어오니 태도가 돌변해서 다시 수사하라고 하기에 다시 수사하면 되는 줄 알고 다시 수사했다.

다시 수사한 결과 혐의가 더 드러나서 다시 구속영장을 청구하겠다고 했더니 안 된다면서 한 번 더 보라고 했다. 한 번 더 봤는데도 혐의가 더 명확해지자 아예 사건을 빼앗아 선배에게 넘겼다. 선배도 수사 결과를 보다가 난감했던지 한 달 뒤에 나에게 돌려줬다. 돌려받은 뒤 나는 다시 상사에게 구속 기소하겠다고 했다.

안 된다는 대답을 들었다.

그러면 불구속 기소라도 하겠다고 했다.

안 된다는 대답을 들었다.

벌금형으로라도 기소하겠다고 했다.

안 된다는 대답을 들었다.

이미 수표 추적, 계좌 추적, 참고인 조사, 교수 조사가 다 된 사건인데도 그랬다. 어쩔 수 없이 그 때까지 수집한 증거를 미리 기소한 공범들 재판에 증거로 제출하는 선에서 마무리하고, 교수는 입건할 수 없었다.

공범들은 실형을 선고받고 법정구속됐다.

공범들이 실형을 선고받고 법정구속될 때까지 1년이 걸렸다. 그렇지만 전관 변호사의 벽을 뚫지 못해 돈 받은 교수는 잘 살게 됐다.

그 1년 동안 나는 이 사건이 상징하는 거대한 불의 앞에서 고민하다가 뇌에 문제가 생겼다. 그래서 두개골을 열었던 것이다.

원래는 몰랐다가 그 때 알게 된 거대한 진실이 있다.

사건을 덮으려는 결론이 나 있으면 일단 더 수사하라고 하고, 그다음에는 다른 사람에게 넘기고, 그래도 안 되면 그냥 결재를 안 한다.

이런 일을 이때만 겪은 것이 아니다.

이런 일을 겪지 않은 때가 더 드물었다. 그 때마다 나는 한 번도 시키는 대로 순순히 덮어주지 않았다. 그 때마다 사건을 빼앗겼고, 빼앗아간 뒤 덮어준 사람들은 더 큰 사건을 덮을 수 있는 자리로 옮겨갔다.

그래서 제주도에서 수사 중단하고 즉각 처리하라고 했을 때 느낌이 바로 왔다.

그 때 우연히도, 감찰을 담당하는 유명한 사람이 난데없이 전체 쪽지를 보냈다. 이 사람이 왜 유명하냐면 이름이 '가식'이었기 때문이다. 전체 쪽지 내용은, 감찰 사항을 제보해달라는 것이었다. 그것만이었다면 그런가 보다 했을 텐데, 덧붙이는 말에 그만 속았다. 이렇게 덧붙였던 것이다.

'작은 시도가 세상을 바꾸는 법이다.'

그냥 가식적으로 한 말이라는 사실을 이름에서부터 눈치를 챘어야 했는데 속절없이 순수했었다. 성도 특이하게 동씨였다. 그래서 전날 압수수색 영장을 청구했는데, 법원에서 사라졌다는 사실을 알려줬다.

다른 기관에 문서가 접수되면 접수한 사람이라도 몰래 가져가는 것이 금지돼 있을 뿐만 아니라 범죄가 된다. 동가식은 나보다 선배인데, 내 메신저를 받더니 나름대로 여기저기 알아봤다. 그러고는 내 방으로 찾아와 문서 자체가 접수된 것은 아니고 전산으로만 들어갔다고 말하면서 거래를 제안하는 은밀한 웃음을 내비쳤다. 나는 이미 문서 자체가 접수됐다는 사실을 직접 접수한 직원에게 들어서 알고 있었기 때문에 동가식 선배의 비굴함이 눈에 보였다.

그러면 서류가 접수된 것과 전산만 접수된 것이 무슨 차이가 있는지 궁금할 것이다. 형사 절차는 종이, 즉 서류가 접수되어야 유효하고, 전산은 실수로도 클릭할 수 있으므로 철회할 수 있어

전산만으로는 효력이 없다. 그러면 그게 어떻다는 거냐는 의문이 제기될 수 있다. 앞에서도 말했지만 다른 국가기관에 접수된 서류를 빼돌리면 무겁게 처벌한다는 규정이 있다.

그래서 동가식 선배가 관계자들과 입을 맞추거나 증거를 조작하기 전에 먼저 움직이기로 했다. 법원 접수실에 바로 찾아가 전날 저녁 내가 작성한 영장 청구서를 접수한 직원과 되돌려준 직원을 직접 만나 증거를 확보하기로 한 것이다. 그 직원은 우리 회사에서 두 명이 찾아와 내가 문서를 수정해서 다시 낼 거라면서 다시 달라고 하길래 정말인 줄 알았다고 했다. 대신 자기들도 책임을 지게 될 수 있어서 우리 회사 직원들로부터 각서를 받아뒀다고 했고, 그 각서를 복사해서 나에게 줬다.

대면 면담이 끝난 후 사무실로 돌아와 녹음 시스템을 작동시킨 상태에서 다시 법원 직원들에게 전화해서 동일한 내용을 녹음하고 녹취까지 마쳤다. 그리고 녹취록을 동가식 선배에게 보냈다. 동가식 선배는 다른 사람과의 대화 내용을 함부로 녹취하지 말라고 하더니 퇴근해버렸다.

자기가 내부 비리를 알려달라고 해놓고, 막상 알려줬더니 덮자는 거래를 시도하고, 거래를 거부했더니 트집을 잡으면서 위협하기 시작한 것이다. 역시 이름이 아깝지 않게 가식적인 인간형이다.

감찰 전담에 종사하는 사람은 대개 이런 식이라는 사실을 이

때 알았다. 그전에도 알았어야 했지만 남의 일에 관심이 없어서 몰랐다. 부끄럽다.

거기서 끝낼 수가 없어서 밤 열 시쯤 내부 구성원의 범죄를 신고하는 이메일로 내용을 보냈다. 그 이메일은 이 업계의 책임자 중 특히 감찰을 총괄하는 사람들이 직접 수신하게 되어 있는 감찰 제보 전용 이메일이다.

이메일을 보낸 결과를 간단히 요약하겠다.

이메일을 보낸 다음 날 상사들이 법원에서 빼돌린 영장 청구서와 그 여자에 대한 사건 기록을 일단 되돌려줬다. 자기들이 몰래 숨겨놓고 있었던 것이다. 그리고 감찰 청구를 받은 사람은 서류와 기록을 나에게 되돌려주면 덮어주겠다고 했던 것 같다. 법원에서 빼돌린 영장 청구서를 되돌려준 당사자들은 나에게 사건을 당일 처리하거나 자기들한테 넘기라고 했다. 수천 쪽 되는 기록이라서 하루 만에 처리할 수 없는 사건이었다.

불가능한 지시를 해서 덮으려는 시도가 눈에 보였다.

사건이 복잡해서 당일 처리할 수는 없고, 넘길 수도 없다고 버틴 다음 약 보름 뒤에 직접 처리했다.

영장 청구서를 빼돌린 간부들에 대한 수사와 감찰 문제가 남아있다. '영장 청구서를 되돌려줬으니 감찰 청구를 취하하라'는 압박과 회유가 지겹도록 이어졌다. 감찰 청구를 취하할 수 없으며, 오히려 철저히 감찰해달라고 했다. 그랬더니 다음 달부터는 감찰 청구를 핑계 삼아 나를 수사할 태세였다.

그래도 감찰 청구를 취하할 수는 없다고 했다.

그랬더니 실제로 그 여성을 회유해서 나를 모함하는 진술서를 받아내고 그걸 근거로 나에 대한 수사를 진행했다. 자기들도 기소까지는 무리라고 생각했는지 중간에 징계로 돌렸다.

그 외에도 영장 청구 자체를 잘못했다면서 공개 질책을 했다.

내가 가만히 있을 줄 알았나 보다.

이 업계에서 지금까지 아무도 이런 내용의 공개 질책에 대해 소송을 한 사람이 없었다. 다들 그냥 참거나 굴복했다. 나는 아니었다. 두개골을 열었기 때문은 아니고, 그냥 불의를 보면 못 참는 성격이 있다.

이런 성격을 가지고 태어나는 사람이 있다는 것을 미리 알고 통계로 남긴 사람이 있다. 중국 송나라 시절 만민영(萬民英)이라는 사람인데, 이 사람이 연구한 이론을 통상 명리학이라고 한다.

명리학 이론을 공부하게 된 계기는 조금 있다 나온다.

어쨌든 나는 당시 국가 기관이 범죄를 덮기 위해 신고자에게 불이익을 주는 보복 행위를 해서는 안 된다는 것을 판례로 남겨야 한다고 생각했다.

이렇게 해서 모피어스를 만나게 됐다.

모피어스를 공개 질책 사건으로만 만난 것은 아니다. 내가 소송을 하자, 저쪽에서는 더 길길이 날뛰었다. 그래서 나를 도사로 몰아 징계했다.

도사 이야기를 시작해야겠다.

나는 지금도 그렇지만 도사 지망생일 뿐 아직 도사는 아니다. 도가 터야 되는데, 이게 쉽지가 않다. 머리가 나쁘거나, 공부에 게을러서가 절대 아니다. 그렇게 생각하는 사람으로부터는 이 책을 회수하고, 관상을 봐주겠다. 관상은 물리학, 생물학, 심리학에 관련된 통계다. 좌우 대칭이 100%에 가까울수록 그렇지 않은 사람보다 호감을 끌고, 호감을 끌면 소득이 높아진다. 납작한 오징어면 더 열심히 노력해야 한다.

도사를 지망하게 된 계기는 따로 있다.

내가 두개골을 열었다는 얘기는 여러 번 했다. 말이 두개골을 연 것이지, 사실은 악성 신경교종으로, 말하자면 시한부 인생이 된 것이었다.

그래서 나는 사람의 수명이라는 게 정해져 있는지, 왜 그런 일이 나에게 발생했는지 알고 싶었다. 의학적으로야 암세포가 발생하는 원인이 다양하게 규명돼 있지만 좀더 큰 관점에서 사람의 수명이 예측 가능한지가 궁금했다. 마침 대학교 다닐 때부터 존경했던 친구 두 명 중 한 명이 자기가 알고 있는 동양철학 이론을 나에게 알려줬다. 그 때부터 주역, 당사주, 명리학, 토정비결 교재를 있는 대로 사서 독학을 시작했다. 주변 사람들의 생년월일시로 임상을 수집하고 과거 명리학과 당사주 통계가 맞는지

검증도 했다. 다른 분야는 잘 모르겠지만 인간관계와 재능, 성격 분석은 명리학에 기초한 과거 통계가 상당히 맞았다.

그래서 내가 처리하는 사건의 범인들에게도 성격상의 장단점을 알려주고 장점을 살려 범죄를 멀리하는 방법을 조언해주기 시작했다. 그 일로 직장에서도 범죄예방에 효과가 있다면서 상당히 공식적으로 자주 인정받았다. 호텔도 운영하고 병원도 운영하고 유통회사도 운영한다고 했던 그 여자에게도 역학 분석을 통해 미술품 유통에 대한 재능을 조언해줬다. 그런데 난데없이 그 내용을 뒤집어서 도사 행세를 했다고 징계한 것이다.

사무라이 조직이 하는 일은 이렇다.

우기거나 뒤집어씌우는 것이다. 사무라이 조직이 뭐냐는 답은 조금 후에 나온다. 사실, 답이 나오는 건 아니고, 은유적으로 느껴야 한다.

내가 마르케스를 좋아한다는 얘기를 했던가.

『백 년 동안의 고독』을 느끼듯 그렇게 느껴주면 된다. 『백 년 동안의 고독』 얘기를 하니, 내 친구가 내 선배랑 로씨니에서 만나 잘 안된 이유 중 하나가 더 떠오른다. 친구가 선배에게 가장 좋아하는 책이 뭐냐고 물었는데, 선배가 『백 년 동안의 고독』이라고 답했다. 그러자 친구가 이렇게 지적했다고 들었다.

"천 년 동안의 고독이죠."

나였으면 "42년간의 고독이죠"라고 했을 텐데, 풉.

160

도사 얘기를 잠깐 더 해야겠다.

누구나 도사 공부를 할 때 과거의 통계를 현재의 자신, 자기 가족들에게 맞춰 맞는지 분석해주는 단계에서 시작하게 된다. 나는 두개골을 대충 닫자마자 서점에서 명리학과 당사주에 관련된 책을 무더기로 사서 자습을 시작했다.

자습으로 되냐는 질문이 들려온다.

원래 자습 타입이다. 학교를 잘 안 나갔다, 이 말이다. 학교 다니면서 어떻게 만화책과 소설책을 다 읽을 수 있겠느냐는 생각을 해주기 바란다. 보통 밤을 새워서 책을 읽고 아침에 늦잠을 자다가 학교에 못 갔다. 가족들은 모두 바빠서 내가 학교 가는지 관심이 없었다. 도사 공부를 할 때는 회사도 안 갔다. 두개골이 다 붙으면 오라고 공식 통보를 받았기 때문이다. 그래서 일 년간 도사 공부에 열중할 수 있었다.

도사 공부도 나름대로 노하우가 있어야 된다.

한 유명 대학교 법대를 졸업한 도사가 자기 노하우를 설명한 책이 있었는데, 자기는 사람의 본성을 표로 뽑아보고, 그걸 동양화로 바꿔 머릿속에서 다시 그려본다고 했다. 좋은 방법이었다. 나도 그렇게 해보기로 했다. 나는 동양화보다 유화를 좋아한다. 여기 들어오기 직전까지도 마티에르가 두꺼운 아크릴 물감을 사용한 작품들을 많이 샀다. 그래서 사람들의 본성을 정물화나 풍경화로 그려보기로 했다.

내 본성은 초록 대리석이다.

어떤 의미가 있냐는 의문이 생긴다. 초록 대리석의 의미가 있다. 초록 대리석은 석회석이 수정, 마그네슘, 칼슘, 알루미늄, 실리콘을 함유한 상태에서 엄청난 압력을 받은 후 생겨나는 광물인데, 주로 궁궐 벽이나 바닥 마감재나 클래식한 가구의 상판에 쓰인다. 다시 말해, 웬만한 압력에는 흔들리지 않는다는 의미다.

그렇다면 석녀란 의미인지 질문이 제기된다.

한국말로 석녀는 매력 없는 여성을 의미한다. 지금 그런 농담을 할 때는 아니라는 생각이 든다.

나는 오징어일지언정 석녀는 아니라는 점을 분명히 밝혀두고자 한다.

적어도 이 부분은 역사에 기록으로 남아야 한다는 의미다.

그 때 나는 사무라이의 보복 행위는 국가기관에 대한 신뢰를 혐오로 바꾸는 나쁜 행위라고 생각해서 또 소송을 했다. 모피어스와 함께 진행한, 두 번째 사건이다.

두 사건 모두 끝났다. 나는 공식적으로 도사라고 판결받았다. 사무라이의 보복이 성공하고, 나는 패배했다는 의미다.

첫 번째 사건은 조금 더 드라마틱하기는 하다.

첫 번째 사건은 내가 업무 무능력자라는 사무라이의 의견에 관한 것이었다. 겉으로는 무능력자라는 것이지만 실제로는 나처럼, 전관과 유착하기를 거부하는 사람은 어떻게 되는지 보여주기 위한 서커스라고 보면 된다. 나는 겸허할지언정 무능력자는 아니라는 내용으로 소송을 시작했다. 문제는, 지금까지 이 업계에서 아무도 사무라이의 의견에 소송을 한 사람이 없었다는 사실이다. 그래서 누군가가 사무라이의 의견에 소송을 할 수 있는지부터가 쟁점이 됐다. 1심과 2심 모두 사무라이의 의견에 소송을 할 수 있을 뿐만 아니라 내가 무능력자가 아니라고 판결했다. 그렇게 된 계기는, 레니비에 사건과도 관련이 있다.

레니비에는 누구고, 레니비에 사건은 뭐냐는 질문이 제기된다. 사무라이는 또 뭐냐는 질문도 제기된다. 인내심을 가져야 한다. 나중에 나온다.

로마 제국의 한 축은 왕당파, 다른 한 축은 공화주의자로 이루어져 있다는 얘기는 앞서 했다. 안 했다면 지금 한 것으로 치기로 한다.

로마는 왕이 없었는데 무슨 왕당파냐는 질문도 들린다.

은유이기 때문이고, 내가 『갈리아 전기』와 『내전기』를 좋아하기 때문이다. 왜 좋아하냐. 카이사르는 자기가 일으킨 전쟁에 관한 글을 쓰면서도 3인칭으로 썼기 때문이다. 기발하고, 엉뚱하고, 매력 있는 남자다. 그러나 카이사르도 로마 제국의 기틀을 다지자마자 가장 아끼던 부관인 브루투스가 포함된 암살단에 의해 살해당했다.

그나저나, 로마 제국에는 왕이 없었는데 어떻게 왕당파가 있을 수 있냐는 질문이 계속 제기된다.

날카롭다.

이 책 전체가 은유이기 때문이다. 왜 은유를 사용하냐는 질문이 계속 제기된다. 그건 마지막에 말해주겠다. 혹시 마지막에도 안 나오더라도 두개골이 열려 있는 탓이라고 생각해주면 좋겠다.

다시 본론으로 돌아오겠다.

내 소송은 왕당파의 백인대장을 자처하는 사무라이들의 횡포에 제동을 건다는 역사적 의미가 있었다. 그런 의미가 없을 수도 있다. 그런데, 나중에 진행된 상황을 되새김질해 보니 그런 의미가 있다고 보는 것이 맞는 것 같다.

큰 의미라고 할 수 있다.

내가 소송을 제기했을 무렵 정부는 정부가 소송의 1, 2심에서 패소하면 상고를 포기하는 원칙을 세워놓았었다. 그 상태에서 사무라이의 백인대장들이 레니비에 사태를 벌였다. 그러자 화가 난 시민들이 후대에 '서초대첩'이라는 이름으로 불리는 저항을 시작했다. 그 저항에 힘입어 이듬해 입법부 구성원의 전부를 교체하는 선거에서 외관상 공화주의자들이 총 의석 수의 3분의 2에 육박하는 결과를 거뒀다. 승리한 쪽을 '외관상 공화주의자'라고 한 이유는 나중에 알려주겠다.

왜 이렇게 나중에 알려주는 게 많냐는 불만은 접수하지 않는다.

두개골이 열려 있기 때문에 얇은 뇌수막이 압력을 받아, 빠져나가려고 하는 정보들을 간신히 붙잡고 있으려고 하면 온통 신경이 그쪽으로 쏠리기 때문에 중요한 정보의 스캔이 안 되기 때문이다.

두개골을 열면 다 그렇게 되냐, 그건 또 아니다. 두개골을 열었는데, 열 때 너무 많이 갈아서 나중에 다시 끼우려고 보니까 위아래가 맞지 않았기 때문이다.

그래서 지금까지 열린 두개골을 통해 새어 나가는 정보도 많아서 그렇다. 그렇다고 해서 살기 불편하냐, 그건 또 아니다. 새어 나가기도 하고, 들어오기도 하는 게 정보 아니겠냐, 이런 생각이 든다.

다시 내 소송 얘기로 돌아오겠다.

나는 중요한 소송의 1심과 2심에서 모두 이겼다. 심지어는 왕당파의 백인대장 수장의 친한 친구 남편인 부장판사가 재판장이었는데도 이겼다. 아마, 외관상 공화주의자들의 집단이 대통령을 당선시킨 다음, 국회의 3분의 2에 육박하는 의석을 획득했는데, 대법관 승진을 앞둔 그 부장판사가 국회나 정부에 잘 보이고 싶었기 때문일 수도 있고, 사무라이들의 주장이 너무 유치하고 한심했기 때문일 수도 있고, 정말 내가 유능하기 때문일 수도 있다. 사실은 가장 마지막 이유였다고 소문을 내려고 했는데, 아무도 호응해주지 않았다.

외로웠다.

그러나 1, 2심에서 모두 승소했기 때문에 나도, 모피어스도, 그리고 김혜수 변호사도 비교적 안심하고 있었다.

그럼 끝까지 이겼냐, 그건 또 아니다.

중간에 어떻게 됐는지 법률적인 문제는 복잡하고 머리 아프니까 생략하겠다. 다만, 오징어가 주변에서 탁월한 법률가로 인정받는다는 것만 기억해주면 된다. 그러면, 법률적인 문제 외에 어떤 문제 때문에 어떻게 됐다는 거냐, 궁금해하는 분들이 있다.

외관상 공화주의자들이 국회의원 정수의 3분의 2에 가까운 의석을 차지했을 때 왕당파들은 겁을 먹었다. 왕당파들의 무기는 기존 미디어와 왕당파 측 뉴미디어, 그리고 사무라이를 수족처럼 부릴 수 있는 네트워크였다.

외관상 공화주의자들은 이런 네트워크를 공화주의에 맞게 개혁하겠다고 하고서 그 많은 의원들을 당선시켰던 것이다. 아닐 수도 있지만, 이 책은 내 책이니까 내 마음대로라고 할 수 있다. 그런데, 외관상 공화주의자들은 당선 직후부터 8개월이 경과할 때까지 약속을 지키지 않겠다는 입장을 명백히 했다.

그냥 사인만 준 것이 아니다. 오히려, 자기가 그 네트워크를 활용하려고 한 사람들이 많았다.

그래서 왕당파 대법관이 안심의 사인을 받아 안전하게 토스해줬다.

　정부가 약속을 깨고 내 승소 판결에 상고했고, 상고심 대법관이 '백인대장을 부리는 군단장의 수장인 장군은 마음대로 보복할 수 있다'고 판결했다는 의미다. 기존 판례와 법률 규정에 비추어볼 때, 여기가 미개국이라는 적극적인 확신이 아니고서는 도저히 나올 수 없는 결론이었다.

　군단을 자기가 활용하려고 한 외관상 공화주의자 얘기는 나중에 더 나온다.

　이 업계가 그렇게 돌아가는 것 같다.

　이게 일제강점기에 들여온 법들이 거의 그대로 유지되는 우리나라 제도의 본질에 관한 문제라서 그렇다는 생각이 든다. 그리고 외관상 공화주의자 집단에 돋보이는 사람들이 너무 많았고, 자기 능력으로는 탁월한 사람들과 실력 경쟁에서 도태될 수밖에 없는 사람들이 꽤 있었기 때문이었다.

　그게 무슨 뜻이냐고 너무 따지면 안 된다. 내 느낌이라서 뭐라고 딱히 짚어 설명하기 어렵기 때문이다. 사무라이가 실제로 뭔지는 그림으로 설명해야 되는데, 혐오스럽기 때문에 각자 찾아보는 것으로 한다. 찾아볼 때에는 구글을 이용해야 한다. 아카데미 음악상을 탄 류이치 사카모토가 음악을 만든 영화 「사무라이 픽션」을 떠올려서는 안 된다. 그 영화는 웃기고 즐거운 영화이기 때문이다. 알랭 들롱이 주연을 맡은 명작 「Le Samourai」를 떠올려서도 안 된다. 알랭은 훈훈하지만 여기 사무라이들은 냄새나고 추잡하기 때문이다.

　사무라이가 은유적으로 뭔지는 나중에 따로 알려주겠다. 이렇게 쓰고 보니 뭔가 거대한 역사 드라마의 한가운데에 들어온 느낌이 든다.

　뿌듯하다.

# 레니비에

드라마가 재미있으려면 선량한 주인공과 악인 상대역이 있어야 한다. 설정이 그렇다는 것이지 실제로 그 역할을 담당하는 사람들은 각자 개성대로 움직일 뿐 사실은 선하거나 악한 어느 한편이라고 단정할 수 없기는 하다. 외관상 공화주의자 집단에서 돋보이는 사람 중 한 명은 레니비에였다.

원래 사람의 심리가 잘 되면 자기 덕, 못 되면 남 탓을 하게 되어 있다는 것은 노벨 경제학상을 받은 많은 심리학자들도 이구동성으로 인정하는 이론이다. 노벨 경제학상을 받은 심리학자가 웬 말이냐고 질문할 수도 있을 것 같다. 책깨나 읽는다는 사람들 사이에서는 대단히 잘 알려진 일이지만, 평소 텔레비전·유튜브 등 영상 매체를 주로 접하는 사람들은 무슨 그런 일이 다 있냐고 할 수도 있기 때문이다.

하여간 대니얼 카너먼 등 심리학자들이 꽤 많이 노벨 경제학상을 받았는데, 그게 우리가 다 알고 있는 심리적 진실을 실험과 관찰로 입증해서 그랬다는 거다. 그 중 하나가 자기정당화 심리인데, 이 얘기를 왜 시작했는지 잠시 까먹었으니까 지금 생각나는 얘기부터 하고, 다시 떠오르면 마저 쓰겠다.

내가 이렇게 된 직접적인 계기가 레니비에 상장 사태다.

모피어스는 서초동에 사무실이 있다. 모피어스는 로펌 대표라서 바쁘기 때문에 중심만 잡아주고, 나는 당사자이지만 법률가이기 때문에 내가 초안을 쓰고, 담당 애기 변호사가 정리하는 것으로 역할 분담을 하기로 했다.

토요일이었다. 애기 변호사를 서초동에서 만나기로 한 날이었다. 그날 마침 이 업계의 사무라이들이 일으킨 상장 사태에 항의하는 시민들이 수십만 명씩 모여서 시위를 하고 있었다. 상장 사태가 뭔지 궁금한 사람들이 있을 것 같다. 당대의 사람들뿐만 아니라 후대의 사람들을 위해서라도 기록을 남겨두려고 한다.

우리나라에는 독립운동가 집안 출신으로 이름도 특이하고 키도 크고 외모도 출중할 뿐만 아니라 공부도 잘했던 사람이 하나 있었다. 과거형으로 썼는데, 상장 사태 전을 중심으로 쓰려다보니 그렇게 됐고, 사실은 지금도 건재하다. 이 책에서는 그 사람을 레니비에라고 부르기로 한다.

레니비에가 도대체 누구냐는 질문이 당연히 제기될 것으로 기대하고 있다.

음… 5분을 기다렸는데도 질문이 제기되지 않고 있다. 그냥 설명하기로 한다. 많은 사람들에게 내가 대단히 다독가고, 지적이고 지혜가 풍부한 사람인 것처럼 알려져 있는데, 이제 진실의 시간이 다가왔다. 그렇게 알려져 있지 않으면 그냥 마저 읽으면 된다.

겸허하기로 하겠다.

내가 제일 좋아하는 책은, 사실 만화책이다. 그 중 황미나 작가의 『불새의 늪』이라는 작품이 있다. 프랑스에서 신교와 구교 사이에서 있었던 종교 전쟁에 관한 거대한 서사다. 신교파의 혁명적 운동가 이름이 레니비에다. 신분은 백작이고, 검은 머리에 훤칠한 키, 흔들림 없는 신념과 계획을 가지고 있으며, 신교를 학살하는 구교의 핵심 지도자인 공작을 암살하기 위해 그 쌍둥이 자녀 중 딸을 납치해 철저히 교육시키는 지략가로 등장한다. 결국 계획이 성공해서 신교파인 앙리 4세가 왕으로 즉위하게 된다는 이야기다.

『불새의 늪』이라는 작품이 그러면 희극이냐, 딱히 그렇지는 않다. 내가 여기서 결론까지 다 떠벌리면 황미나 작가의 인세 수입이 줄어들게 되므로 여기까지만 스포일러를 진행하고 하던 이야기를 마저 하겠다.

왜 이 사람을 레니비에라고 부르냐.

자타가 공인하는 장신의 미남이기 때문이다. 그러면 『불새의 늪』에는 아스투리아스라는 장신의 미남이 한 명 더 나오는데 왜 아스투리아스라고 하지 않냐는 질문이 제기된다. 아스투리아스는 작품 마지막까지 살아남기 때문이라고 얘기해두고자 한다.

레니비에는 원래부터 사무라이 개혁주의자였다. 사무라이의 권한 남용이 너무 심하다는 것이다. 딱히 외관상 공화주의자 집단에 직접 몸담고 있지는 않았다. 여기서는, 레니비에가 말한 사무라이의 권한 남용은, 내가 이 업계에 직접 몸담고 있으면서 겪었던 일을 지칭하는 것으로 이해하고 싶다. 이미 썼다시피 이 업계에 들어오도록 두 달간 지도해줬던 지도검사처럼 직업 윤리나 사명감을 출세욕이나 금전욕보다 앞세우는 사람들을 통상 '공직자'라고 부를 수 있다. 정반대로 행동하는 집단은 사무라이라고 할 수 있다. 사무라이들은 평민·백정·여성·농민들에게 마음대로 칼을 휘두를 수 있었고, 자기들보다 계급이 높은 쇼군이나 다이쇼들에게는 굽신거렸기 때문이다.

물론 레니비에는 내가 겪은 일을 전혀 모를 수도 있다.

나 혼자 겪은 일이고 여기저기 알린 일도 없기 때문이다. 레니비에는 사무라이를 개혁한다는 목표를 가지고 법무부장관에 임명받기로 되어 있었다. 우리나라는 장관으로 임명되려면 국회에서 인사청문회를 해야 한다.

인사청문회 날이었다. 갑자기 사사건건 청부업자처럼 행동하는 것으로 유명한 한 의원이 난데없이 "배우자가 상장 위조로 기소되면 사퇴할 거냐"라며 뜬금포를 터뜨렸다. 기소하려고 준비했던 조직과 미리 내통이라도 한 것이 아니고서는 도저히 나올 수 없는 발언이었다.

이 책에서는 이런 일을 했던 임명직 공무원을 잡채밥이라고 부른다. 레니비에의 집에 압수수색 영장을 들고 가서 영장에 기재된 물건을 다 압수했고, 압수 집행이 끝났으면 나가야 하는데 물건을 더 가져가겠다면서 추가로 영장을 청구할 때까지 나가지 않고 그 집에서 잡채밥을 더 시켜먹고, 나중에는 잡채밥이 아니라 부대찌개였다고 발뺌했기 때문이다. 우리나라를 모부투가 지배하는 콩고 수준으로 떨어뜨리려고 안간힘을 쓰는 집단이라는 생각도 들었다.

레니비에는 "후보자 지위에서 사퇴하지 않겠다"고 선언했다. 그랬더니 한밤중에 레니비에의 배우자를 기소했다.

그 사건은 무죄 판결이 선고됐다. 여기서 무죄 판결이 선고됐다는 것은 보도 내용과 다른 거 아니냐는 의문이 있을 수 있다. 다른 것은 아니다. 같은 상장을 '아니면 말고' 식으로 세 번 기소했기 때문이다.

미국 변호사로서 말하자면, 미국에서는 각하될 뿐만 아니라 그렇게 기소한 검사는 징계를 받을 수 있다.

그러면 여기는 왜 다른가. 그게 이 책을 쓰게 된 계기다.

아. 아니네.

이 책을 쓰게 된 계기는 독방에서 달리 할 일이 없어서였네. 미안하다.

빛도 안 들어오는 방에서 쥐, 바퀴벌레, 거미, 쥐며느리와 종일 같이 있다 보면 내가 뭘 하는지 까먹을 때가 있다.

넷플릭스라는 회사가 전 세계에 방송한 다큐멘터리 중 하나가 「민주주의의 위기」(The Edge of Democracy)인데, 브라질의 민주주의가 군부 쿠데타 없이 언론과 검사와 사법부에 의해 전복되는 과정을 설명하는 작품이다.

레니비에에 대한 겁박용 상장이 바로 룰라가 받았다는 실체 없는 뇌물이라고 할 수 있다. 그러면, 한국에서 레니비에에 대한 협박용 상장은 어떻게 됐냐. 첫 번째 상장은 증거 없이 사퇴 협박용으로 사용하려고 했다가 사퇴 못하겠다는 대답을 듣자 어쩔 수 없이 기소한 것이어서 무죄 판결이 선고됐고, 사무라이들과 외관상 공화주의자들은 일단 기소한 이상 어떻게든 유죄 판결을 받아내기 위해 상장 '사태'를 일으켜 두 번 더 기소한 다음 뒤에서 몰래 유죄 판결을 응원했다.

이게 상장 사태다.

내가 여기서 '사태를 일으켜서'라고 표현한 이유는, 잡채밥 애호가들이 제출한 증거가, 자기네가 만들어 PC에 심은 것인지 아니면 원래 PC에 있었던 것인지에 대해 법원이 판단하지 않고 서둘러 징역형을 확정시켰기 때문이다. 그리고 압수수색을 한다는 일시와 장소를 기존 미디어에 일제히 알려줘서 레니비에의 배우자가 한국판 세일럼의 마녀가 되도록 만들었기 때문이다. 레니비에의 부인이 천박한 증권범죄자와 문서범죄자라도 되는 듯한 보도가 약 5개월간 수백만 건이 나왔다.

한국은 배심제가 없는 국가다.

재판을 하는 판사도 방송을 보고 예단을 가지게 된다는 의미다. 그러면 징역형을 받은 사람이 레니비에냐. 그건 아니다. 레니비에의 부인이다. 레니비에도 그 때 가둬두려고 했지만 법원이 제동을 걸어 실패했다.

그러면 레니비에와 그 가족들한테 왜 이러냐.

앞서 설명한 것을 잘 알아들어야 한다. 공부를 잘하고, 키가 큰 미남이 잡채밥 개혁을 하겠다고 하기 때문이다. 잡채밥들은 지금까지 현직에서는 범죄를 봐주고, 퇴직하면 로비로 아파트 몇 채씩 살 수 있는 돈을 벌어왔다. 몇백 채 산 전직자도 있다. 이걸 못 하게 하면 한국이라는 세상이 청렴하고 공정해지는데, 청렴하고 공정해지면 돈 벌기 어려워지고, 원칙도 따라야 하는데, 그게 싫었던 것 같다.

이걸 어떻게 아냐는 질문이 제기된다.

여기까지 읽고도 그런 질문을 한다니 실망스럽다. 궁금한 부분은 앞뒤로 살펴보면서 다시 읽어주기 바란다. 지금은 일단 빨리 써야 한다. 졸리기 때문이다.

돌이켜보면, 사무라이 수장과 외관상 공화주의자들 일부는 레니비에가 사무라이 개혁에 성공하면, 수족처럼 부릴 사무라이가 없어지고, 그러면 레니비에가 대통령이 되는 게 아닌가 걱정했던 것 같다.

다시 한 번 강조하지만, 심리학 제1법칙은 '좋아하면 판단하지 않는다'이다.

어떻게 하면 좋아할 수 있냐. 잘생기고 키가 큰 것이 중요하다. 오바마, 클린턴, 트럼프, 일론 머스크, 아미 해머 모두 잘생기고 키가 크다.

그러면 못생기면 인생 포기하라는 의미냐.

오해하지 말아주기 바란다. 오징어도 이렇게 꿋꿋하게 견디고 있지 않은가 이 말이다. 톰 크루즈도 생각해주기 바란다. 톰도 키가 작다.

다시 본론으로 돌아오기로 한다. 상장 사태 당시 사람들은 당연히 이런 말도 안 되는 사무라이의 폭거에 항의하기 위해 거리로 쏟아져 나왔다. 당대 사람들은 그것을 '서초대첩'이라고 부른다. 애기 변호사 만난 애기를 하다가 레니비에와 서초대첩 애기로 샜다. 사실 딱히 애기가 옆으로 샌 것은 아니고, 쫌 있다가 또 나온다.

# 김혜수 변호사

내 사건의 애기 변호사를 처음 보는 순간, 아니 무슨 이런 김혜수 닮은 사람이 다 있나 이런 생각이 들었다.

김혜수는 내가 가장 좋아하는 여성 배우다. 당당하고 아름답고 자신감 넘치면서도 지적이다.

내 사건을 담당할 애기 변호사도 당당하고 아름다우며 자신감 넘치는 지적인 미녀였다. 여기서는 애기 변호사를 김혜수라고 부른다.

김혜수는 확고한 비건이기도 했다. 그리고, 그 누구보다도 다정다감하며 상대방의 애기를 잘 들어주는 힐러이기도 했다.

어느 날 친구들과 삼겹살을 먹다가, '내가 먹는 돼지와 나는 어떤 차이가 있을까'라는 생각이 들어 다른 생명체의 신체나 생명을 손상시키는 단백질을 이용하는 일체의 행위를 하지 않기로 결심했다고 했다. 심지어 한겨울에 패딩도 입지 않고 누비옷으로 버티는 모습도 봤다. 보통의 신념이 아니면 실행해내기 쉽지 않은 실천이라고 할 수 있다.

우리는 처음 만나자마자 서초대첩 한가운데를 지나 예술의 전당 음악당 앞 '모짜르트'라는 곳에서 비건 샐러드와 호박 수프를 함께 먹으면서 얘기를 나눴다. 그리고 다시 서초대첩 한가운데를 지나 김혜수의 사무실로 돌아왔다.

서초대첩 한가운데를 그냥 지나왔냐, 일 분이라도 앉아 있었냐는 질문이 제기된다.

고백한다. 좀 오래 앉아 있었다.

왜 앉아 있었냐는 질문이 또 제기된다. 아는 사람들을 계속 만났기 때문이라고 할 수 있다. 그 날만 앉아 있었냐, 다른 날도 앉아 있었냐는 질문이 더 제기된다.

음… 이왕 이렇게 된 거 다 고백하겠다. 그 다음 주에는 아예 예전에 팰리스라고 부르던 호텔을 잡았다. 다음 날 먹은 조식이 맛있었다. 그러면 사람 많은 것을 싫어한다는 것은 거짓말이 아니냐는 의문이 제기될 수 있다. 이럴 때 자넷 잭슨의 노래가 떠오른다. 'Like a moth to a flame burned by the fire'(불꽃을 보면 달려드는 나방처럼)로 시작하는 노래인데 제목은 「That's the way love goes」다.

그렇다.

사람 많은 것은 싫지만 촛불을 보면 흥분하는 증후군이 있다. 불나방 같다는 생각이 많이 든다.

얘기가 너무 옆으로 샜다. 이제 거두절미하고 다시 김혜수 얘기로 돌아와야겠다. 그 사무실에서 내가 느낀 것은 약간 불길한 예감이었다. '팜므 파탈'이라는 개념이 있다. 남성 위주의 관념인데, 자기가 일을 망친 것이 아름다운 여성 탓이라고 우기려는 관행에서 유래된 언어 습관이다. 창세기의 아담과 롯이 그랬고, 밧세바를 본 다윗이 그랬으며, 살로메 때문에 세례 요한을 죽였다는 헤롯의 핑계도 그런 식이다.

그런데 실제로 아름다운 여성이 바로 곁에 있으면 남자가 정신을 잘 집중하지 못하는 현상은 많은 연구를 통해 사실로 입증됐다. 모피어스가 김혜수와 사무실의 방 하나를 같이 나눠 쓰고 있는 것이 보였다. 오묘하게 불길했다. 며칠 뒤 모피어스와 김혜수로부터 본인들이 레니비에 사건도 담당하게 됐다는 얘기를 들었다.

내가 우리말로 '삼천포'라고 번역하는 단어가 영어로는 'distraction'인데, 두 분이 레니비에 사건도 함께 맡게 됐다는 소식을 듣고 내 사건에 대한 주의가 산만해지지 않을까 우려가 됐다. 하지만 어차피 사무라이의 횡포와 만행으로부터 시민의 자유와 권리를 지켜야 한다는 명제에 우리 모두 공감하는 터였고, 상장 사태와 도사 사태 그리고 보복 징계에 대한 소송은 모두 사무라이의 폭주에 제동을 거는 목적이었기 때문에 겸허히 받아들이기로 했다.

사람들이 자주 묻는 질문 중에 왜 계정 이름이 'Humble

Octopus'(겸허한 문어)냐는 게 있다.

내 사건의 변호사님들이 상장 사태까지 변론해야 하는 상황을 겸허히 받아들이기로 한 것이 하나의 계기였다고 해두고 싶다. 다른 계기가 더 있는 것이 아니냐는 질문도 제기될 수 있다. 맞다, 더 있다.

두개골을 열었을 때 그 안에서 끄집어낸 것이 지름 8cm의 종양이었다는 얘기를 했던가?

그 종양이 그렇게 커질 때 두뇌의 나머지 부분이 왼쪽으로 심하게 쏠려서 찌그러졌다. 종양을 꺼내고 나서도 한 번 찌그러진 부분은 다시 펴지지 않았다.

그래서 뇌 안에서 정보들이 서로 소통하는 속도가 남들보다 뇌 반지름의 제곱에 파이를 곱한 값만큼 더 빨라졌다. 뇌의 반지름이 남들의 절반으로 줄어들었으니 정보가 뇌 표면을 운동하는 속도가 얼마나 빠르겠는가. 맥스웰 방정식에 따르면 뉴런이 정보를 전달하는 속도는 빛의 속도로서 일정하기 때문에 거리가 가까울수록 시간이 줄어든다.

v=d/t에서 v는 누구에게나 동일하기 때문에 d값이 낮아지면 t가 높아지는 것과 같다. 남의 뇌 반지름=a, 오징어 뇌 반지름=a/2. 남들 뇌에서 정보가 움직여야 하는 표면적 거리(D1)=πa2, 오징어 뇌에서 정보가 움직여야 하는 표면적 거리(D2)=π(a/2)2.

오징어 뇌에서는 뉴런들이 서로 거의 달라붙어서 남보다 4배나 빠른 시간에 일심동체로 소통한다, 이 말이다.

정보가 사라지는 속도도 그만큼 빨라졌다. 그렇게 애기 뉴런들이 쉴 새 없이 재빨리 움직이다 보니 늘 허기지고 배가 고픈 상태이기도 하다.

이렇게 찌그러진 뉴런들 때문에 계속 단것을 먹어야 해서 탄수화물 중독이 되고 말았다.

'Dangerous'가 무슨 말인지 알겠는가?

단것을 계속 먹으면 탄수화물 중독이 돼서 위험하다는 의미다. 정보가 사라지기 전에 빨리 기록해두고 싶은 욕심이 생겨서 이렇게 되기도 했다.

어쨌든 나는 모피어스와 김혜수를 통해 간접적으로 레니비에와 얽히게 됐다. 그리고 레니비에가 외관상 공화주의 편에서 인기가 높아지는 것을 막고, 레니비에를 범죄자로 몰아 부당한 낙인을 찍고자 했던 왕당파 군단장, 잠입한 공화주의자와 하나의 전선을 마주하게 됐다.

1차전은 졌다.

그냥 진 것은 아니다. 이겼다가 졌다.

최종적으로 아주 작은 승리를 거두기는 했다.

나는 원래 이 업계를 거대 범죄 무마의 로비 도구로 이용하는 전직자들의 행태에 환멸을 느껴왔다. 논어에 '三人行必有我師'(삼인행 필유아사)라는 글이 있다. 안 좋은 사람을 보거든, 그렇게 하지 말아야겠다는 각오를 다지는 계기로 삼으라는 말이다. 좋은 사람은 보고 배우라는 의미이기도 하다. 그래서 법률 로비 대신 인생 상담을 해주는 사람이 되기로 결심한 지 꽤 됐다. 1차전에서 지면서 나는 공식적으로 도사가 됐다. 마녀사냥에서 마녀로 인정되면 사형을 당하지만 공식적으로 마녀가 되는 것과 같은 이치다.

그렇게 공식적으로 도사가 됨으로써 대중적으로 홍보가 됐다.

아직 도가 안 튼 것이 문제이기는 하다. 여기서 계속 도를 닦고 나가서도 닦으려고 한다. 안 내보내려고 할 수도 있다. 이럴 때 생각나는 작품이 『몬테크리스토 백작』과 「쇼생크 탈출」이다. 결국 나는 어떻게든 나갈 것이기 때문이다.

# 슈퍼히어로

슈퍼히어로 변호사는 그야말로 우연히 알게 됐다.

국가나 공무원이나 정당 같은 공적 기구는 해야 할 일들이 있다.

여기까지 읽은 분들은 알겠지만 한국은 왕당파와 외관상 공화주의자들이 반도에서 작은 이권을 두고 이전투구하는 곳이기도 하다.

사익도 중요하지만 공익이 더 중요하다고 생각하는 사람들을 진정한 공화주의자라고, 줄여서는 그냥 공화주의자라고 부르기로 한다.

너무 순수하게 공익만 생각할 경우 쉽게 함정에 빠지게 되지만 어찌 됐든 '사익 〈 공익' 정도면 공화주의자라고 할 만하다. '사익≒공익'이거나 '사익 〉 공익'이면 공화주의자라고 하기 어렵다. 수학을 공부한 지 오래돼서 기호를 맞게 썼는지 잘 모르겠다. 그냥 느낌으로 받아들여주면 좋겠다.

내가 2,000년 전에 태어났다면 수학이라는 학문을 내가 만들고 기호도 내가 만들었겠지만 내가 태어났을 때 이미 거의 모든 기호를 유명한 사람들이 다 정해놓았다. 이 기호가 이해하기보다는 외워야 하는 학문이 됐는데, 이걸 잘하냐 못하냐로 사람을 심하게 차별하기 시작하면서 한국의 교육과정이 부패해졌다.

수학은 산수를 할 수 있고, 논리에 흥미가 있으며, 정확한 것을 좋아하는 사람들만 더 깊이 공부하면 되는 정도로 정리하는 것이 바람직하다.

전국의 수학 교사들과 과외 선생님들의 원망이 들려온다. 왕조국가적 국론일체의 밈을 벗어던져야 한다고 말해주고 싶다. 각자 자기 재능을 키우면 되는데, 미술을 전공할 학생이 원주율과 포물선 도출 방식을 알아야만 미대에 입학할 수 있고, 수영을 전공할 학생이 함수와 무한대와 벡터를 알아야만 체육대학에 입학할 수 있다고 하는 것이 얼마나 슬픈 일인가. 왜 각자 재능이 다른데 동일한 과목을 배우고 일률적인 점수를 받아야 하냐 이 말이다.

갑자기 흥분했다. 미안하다.

사익을 약간 희생해서라도 공익을 추구할 자세가 되어 있으면 공화주의자라고 할 수 있다는 말을 하다가 길어졌다. 왕조의 밈이 사람들 사이에 깊이 누적되어 있다는 말도 했다.

이왕 한국의 왕조 얘기가 나온 김에 한국인 밈의 슬픈 측면 하나를 더 말해야겠다.

이 얘기는 외관상 공화주의자들과도 관계가 있다. 몸은 특정 가치를 주장하는 집단에 몸담고 실제로는 정 반대 집단을 위해 스파이 행위를 하는 사람들을 의미한다. 왕조 말에 한반도를 둘러싸고 전쟁을 벌인 패권국의 승자에게 나라를 바치고 봉록을 받은 사람 절반이 왕족이고, 나머지는 대신들이었다.

우리는 이 사람들을 '매국노'라고 부른다.

외관상 한국인이지만 실제로는 제국에 봉사한 사람들이라 현재 외관상 공화주의자들과도 동일하다. 왕조 말 시민들은 노예가 됐다. 현재 한국은 그런 기회주의자들이 가면만 바꾸고 계속 활약하는데 국가는 속수무책이고, 외관상 공화주의자 집단 내에서도 그런 기회주의자 집단에 함께 합류하고 싶어 하는 사람들이 많다.

그 세계는 협잡과 강박, 약탈과 겁박이 허용되는 세계이기도 하고, 돈이 모이는 세계이기도 하기 때문이다.

물론 커다란 전선이 하나라고 말하는 것이 아니다.

여러 개 있다. 그 중 하나가 왕당파와 실질적 공화주의자들이 벌이는 전쟁이다. 왕당파와 외관상 공화주의자들은 기회주의자의 면모를 가지고 있다. 작은 사익을 위해 끊임없이 나라를 분열시키고자 한다. 또한 반대하는 쪽을 힘으로 제거하고자 한다. 실질적 공화주의자들은 일단 나라를 통합시키고 국외로 뻗어 나가고자 하는 쪽인데, 양쪽이 건곤일척의 대결을 벌이는 중이기도 하다.

사실, 건곤일척(乾坤一擲)은 아니고 건곤이터널척(乾坤eternal擲)이다.

싸움이 한 번으로 끝나지 않고 역동적으로 계속 진행되기 때문이다. 이럴 때 우리는 다이내믹스(Dynamics)라는 표현을 쓴다. 그야말로 '다이내믹 코리아'라고 할 수 있다.

그러면 누가 어느 편인지 의문이 제기될 수 있다.

규정하기 나름인데, 해방 직후에는 남과 북이었고, 군사독재 시대부터 3당합당 시대까지는 지역감정을 일으켜 선거에서 유리한 지위를 확보하고자 하는 쪽이 만든 동과 서의 분열이었다. 지금은 왕당파들이 남과 여, 노년과 장년, 청년층으로 더 분열시키고 있다.

항상 두 편이 뚜렷하게 구별되는 것도 아니다.

첩자와 변절자와 기회주의자들이 끊임없이 오간다. 피아를 구별하기도 힘들다. 피아를 구별하기 힘들다. 같은 문장이 두 번 나왔다. 오타나 편집 오류 아니냐는 질문이 제기될 수 있다.

아니다.

피아를 구별하기 힘들다는 것이 슈퍼히어로 변호사에 대한 서술 앞에 강조되어 나와야 하기 때문에 두 번 썼다.

다 생각이 있다, 이 말이다.

피아를 구별하기 어려울 때 사람들은 일단 상대방으로 보이는 사람들에게 '낙인'을 찍으려는 성향이 있다. 여러 연구로 입증된 성향이다.

심지어 노벨 경제학상을 탄 심리학자 대니얼 카너먼이 쓴 책 제목도 『Thinking, Fast and Slow』다. 즉, 일단 단정하려는 강한 경향이 'Fast Thinking'이고, 심사숙고하려는 경향이 'Slow Thinking'이라는 것이다. 세상이 복잡하기 때문에 일단 좋은 것과 나쁜 것 두 개로 단정해놓아야 변화하는 세상에 신속하게 적응할 수 있기 때문이다. '친문주의자' '친노주의자' 등이 주로 쓰는 표현인데 '친김주의자'는 쓰지 않는다. 김은 김밥이나 김말이에 들어가는 식재료이기 때문에 누구나 좋아해서다. 특이하게 '친룸주의자'나 '친레드주의자'라는 표현은 잘 쓰지 않는데, 아마 기자들이 자기들의 절대지존을 모욕하는 표현이라고 생각해서 알아서 삼가기 때문일 것 같다.

졸렬하다.

비겁하기도 하다.

슈퍼히어로 변호사 얘기는 도대체 언제 나오냐는 불만이 들려온다. 그분 가족분들도 이 책을 읽을 텐데, 언제 본론이 시작되느냐고 질문하는 것이 내 귀에까지 들려올 정도다.

또 질문이 들려온다. 정말 질문이 들려오냐는 질문이다. 환청이 들리는 건 아니냐는 질문도 포함된다. 그건 아니니까 좀 참아주기 바란다.

슈퍼히어로 변호사는 해방 이후 우리나라에서 벌어진 전선이 현재 정확히 어떤 형태로 벌어지는지 객관적 자세에서 조망하는 사람이다. 이분은 일제강점기 만주에서 독립군을 양성하는 무관학교 교장이었다가 해방 후 서대문에서 제헌의회 의원으로 당선된 분의 외손자이기도 하다. 여기까지가 '전선'에 관한 서사에서 슈퍼히어로 변호사가 차지하는 위치라고 할 수 있다.

앞서 우리나라의 전선이 그 때그 때 달라지고, 피아 식별이 어렵다는 얘기를 했다. 그것은 전선이 단순히 2차원 평면에서 진행되는 것이 아니라, 빈부격차라는 축을 새로 둔 3차원에 더해 시간이 경과할수록 부와 빈의 정도가 벌어지는 축이 하나 더 들어가 4차원으로 진행되기 때문이라고 할 수 있다.

건곤이터널척의 싸움이 4차원으로 진행되는 동안 재산을 탕진해서 편을 바꾸는 사람이 있고, 더 돋보이기 위해 끊임없이 편을 오가다가 철새로 낙인찍히는 사람들도 있다.

건곤이터널척이라는 말은 내가 지어냈지만 멋있기는 멋있다.

그런데 너무 길고 한자와 영어가 섞여 있어서 잘 와 닿지 않는다. 북유럽 신화에서는 '라그나로크'라는 말을 쓰는데, 전선이 뚜렷하게 구별되는 양쪽이 전력투구해서 싸우다가 둘 다 망해서 세상이 멸망한다는 개념이다.

건곤이터널척은 그런 것이 아니다.

거대한 수레바퀴들이 계속 돌아가면서 질주하는데, 깔리는 사람도 있고, 올라타는 사람도 있으며, 올라탄 뒤에 수레바퀴를 바꿔타는 사람이 있고, 바꿔타려다가 떨어져서 깔리는 사람도 있는, 그런 싸움이라고 할 수 있다.

나는 4차원을 가로지르는 단 하나의 주제인 '국가의 폭거로부터 시민들이 자유로운 세상'이라는 신념을 신봉한다. 슈퍼히어로 변호사를 알게 된 것도 4차원을 가로지르는 또 다른 주제인 '변절자들의 폭거로부터 시민들이 자유로운 세상'이라는 신념 때문이었다.

우리나라 왕조 역사는 3,000년 정도 지속됐었다. 그 정도 되면 왕조 문화가 거의 밈으로 자리 잡게 된다. 국민 대다수가 왕당파 문화의 노예일 수 있다는 의미다. 이런 상황에서 한 사람이 개인숭배와 왕당파식 복종 문화로부터 자유롭기 위해서는 대단히 굳은 심지와 성향을 타고나지 않으면 안 된다. 얘기가 계속 길어진다.

슈퍼히어로 변호사는 국가나 공화주의를 내세운 공적 기구들이 해내지 못하는 일을 사명으로 받아들이고 자기 손으로 해내려고 했다.

슈퍼히어로물의 기원에 대해서 장광설을 늘어놓을 계획은 없다.

몰라서 그렇다.

우리나라에서는 홍길동이라고 서자로 태어나 서럽게 살다가 큰 도둑이 된, 말하자면 중세 영국의 로빈후드 같은 캐릭터가 하나 있기는 하다. 국가가 국민들을 방치하고, 국민들이 힘에 의해 억압당할 때 사심 없이 국민들을 도와주는 초능력 존재를 희구했던 것이다. 어쩌면 성서의 하느님이라는 존재도 매일 시리아, 바빌로니아, 이집트, 로마 등 이민족들에게 약탈당하는 민족이 만들어낸 슈퍼히어로일 수도 있다.

여기까지 쓰고 보니, 슈퍼히어로의 기원에 대해 아예 모른다고 보기도 어렵겠군, 후후훗.

그렇지만 내가 그 변호사님이 슈퍼히어로 역할을 한다고 생각하게 된 것은 그 분이 마블 코믹스의 시리즈를 연상시켜서였다. 왜 디씨 코믹스도 있는데 하필이면 마블 코믹스냐고 묻고 싶은 거 다 안다. 아무래도 내 본성이 그런 마블이기 때문이 아니겠냐, 그렇게 생각한다. 마블 코믹스의 캐릭터들은 각자 재능을 가지고 국가가 해결하지 못하는 위협을 막아낸다. 전지전능하지는 않다는 면에서 인간적이다. 구체적으로 마블 코믹스의 누구를 의미하는지에 대해서는 조금 있다가 다시 쓸 계획이다. 일단 이 부분에서는 그분을 슈퍼히어로라고 부르기로 한다는 사실만 알아두고 넘어가기로 하자.

슈퍼히어로와 인연이 닿게 된 것은 의외의 계기에서였다.

엄마가 음악과 예술을 공부하고, 예술 애호가라는 얘기는 1부에서 했다. 세계적으로 유명한 미술품 갤러리들은 뉴욕·런던·

홍콩·도쿄 등에 여러 개 있고, 우리나라에도 크게 몇 개 있는데, 그 중 하나가 종로구에 있는 아라리오 갤러리다.

아라리오 갤러리는 종로에 두 개, 천안에 하나, 제주도에 세 개 이렇게 있다. 더 있을 수도 있지만 직접 가서 작품을 본 것은 그렇다. 어느 날 종로구에 있는 구 '공간' 사옥 아라리오 갤러리를 딱 하루 VIP에게만 개방한다는 날이 있었는데, 원래 단골이라 내가 가장 존경하는 친구와 둘이서 가게 됐다. 그 친구는 대학 동기인데, 유명 언론사에서 기자로 일하다가 예술과 건축을 담당한 일이 있어서 갤러리 회장도 잘 알고 있었다. 그날 우연히 설란이 언니와 함께 일한 민변 출신 시장도 함께 갤러리 회장과 소장품들을 감상하던 중이었다.

민변 출신은 모두 내 친구라고 거듭 밝혔었다.

민변 출신들은 자기들이 내 친구인지는 모르지만, 나만 알아도 된다. 그렇게 VIP 오픈에서 친구를 만나니까 너무나 반가웠다. 냅다 달려들어가서 팔짱을 끼고 사진을 찍었다. 내가 자기 친구인지 모르는 시장은 당황했지만, 내가 자기 친구라고 밝히니까 안심하는 눈치였다.

이제, 불길했던 예감에 대한 내막을 밝혀야 할 시기가 왔다.

슈퍼히어로 변호사 얘기를 간절히 기다리는 독자 여러분들은 조금만 더 기다리면 된다. 내가 '국가의 폭거로부터 시민들이 자유로운 사회'라는 단 하나의 주제를 추구한다는 얘기는 조금 전에 했다. 이걸 실현하기 위해 서구에서 도입한 개념은 국가기관의 기능을 입법·행정·사법으로 나눠 서로 견제하게 하는 것이었다. 그런데 우리나라는 왕당파 밈이 정신까지 지배하는 세계라 공직자들이 입법·사법기관과 자기들 말로는 준사법기관이라고 자칭하는 사무라이까지 청와대를 통해 지배받고, 복종의 대가로 승진이라는 포상을 받는 시스템을 더 선호해왔다.

고등학교만 졸업하고 사법시험에 합격한 판사 출신 대통령이 그런 시스템에 저항한 최초의 정치가였는데, 퇴임 후 왕당파의 충복이라고 할 수 있는 사무라이에 의해 자살당했다. 그 친구였던 인권변호사 출신 대통령이 그 시스템에 저항한 두 번째 정치가였다. 십 년 전부터 사무라이를 개혁해야 한다는 책을 써온 레니비에를 법무부장관으로 임명한 것으로 그 각오를 짐작할 수 있다. 그런데, 잡채밥들이 레니비에가 민간인이던 시절에 만들어졌다는 상장 하나를 시발점으로 언론 보도 수백만 건을 동원해 일가족 몰살에 나섰다.

서초대첩은 그런 사무라이의 만행에 대항하기 위해 생겨난 시민운동이라고 할 수 있다. 시민운동에 힘입어 레니비에는 더욱 힘차게 사무라이 개혁에 나설 수 있었다. 그런데, 사무라이의 수장과 내통하던 외관상 공화주의자들이 내부에서 갑자기 레니비에를 쫓아냈다.

시민들의 저항운동에 찬물을 끼얹은 것이 내부자들이었다는 의미다.

레니비에 개인이 항상, 절대적으로 옳았다는 의미는 아니다. 레니비에를 쫓아낸 것이 내부자가 있다는 것을 짐작하게 하는 첫 번째 사건이었다는 의미다. 다음 해 4월, 분노한 시민운동 전선은 사무라이가 상장 사태처럼 폭거해서 선출직 공직자의 공무원 임명권에 위협을 가하는 민주주의 위기 사태를 해결할 수 있는 입법 정족수를 채워주는 결과를 거둬냈다. 이 결과를 다르게 해석하는 왕당파들도 있을 수 있다.

이해한다. 그것이 왕당파니까.

그런데 입법 정족수가 완성된 이후 내부자들은 단 하나의 구호만 실천했다.

"사무라이 개혁하지 마. 우리는 사무라이 개혁을 안 하는 것을 해낼 수 있어."

레니비에 이후에 임명된 장관을 CD라고 부르겠다.

얼굴이 CD만큼 작고 오밀조밀하기 때문이다. 그냥 인형을 얼굴마담으로 임명한 것이냐는 질문이 제기될 수 있다. 아니라고 말하고 싶다. CD 같은 얼굴은 그냥 덤이고, 나라를 동서로 가른 군사독재자의 핵심 지역에서 태어난 법관 출신이라는 더 화려한 스펙이 있다. 혹자들은 잔 다르크를 떠올리기도 한다. 나도 그렇다.

잔 다르크는 영국과 프랑스가 프랑스의 왕위 계승권을 핑계로 프랑스 내 영토에 대한 지배권을 다툴 때, 프랑스계인 오를레앙파를 도와 샤를 7세가 왕위에 오를 수 있도록 전투마다 승리를 거둔 17세의 소녀 영웅이다. 그러다가 프랑스 민족임에도 영국에 붙었던 부르고뉴파의 음모로 영국군에 넘겨져 화형을 당하고 만다.

CD 장관을 부르는 더 나은 애칭도 있겠지만 이건 내 책이기 때문에 내 맘대로 쓰기로 한다. CD 또한 사무라이 개혁을 하려다가 중간에 외관상 공화주의자들이 내부에서 갑자기 쫓아냈다.

레니비에와 CD 외에 공화주의자 그룹에는 두드러진 인물이 몇 명 더 있었다. 두 사람만 빼고 모두 레니비에와 CD가 위험에 처했을 무렵 이미 사무라이에 의해 제거됐다. 민주주의 국가에서는 원래 선출직 공직자가 낙선해야 퇴출된다. 오직 왕당파가 지배하는 국가에서나 군대 또는 재판 기관을 동원해 다른 사람들을 처단할 수 있다. 왕국이나 제국에서는 아무나 군대 또는 재판 기관을 지배해서 자기가 싫어하는 사람들을 처단할 수 있기 때문이다.

그래서 민주주의가 정착된 국가는 시민들이 재판의 결론을 내리는 배심제가 시행된다. 한국은 아직 그 단계의 사법민주화까지 이루어지지는 않았다. 그래서 촉망받던 많은 사람들이 사무라이에 의해 제거됐다. 한 사람은 킹크랩을 식당에서 먹지 않고, 포장해서 가져갔다는 이유로 제거됐고, 다른 사람은 빌 클린턴과 모니카 르윈스키를 흉내냈다는 이유로 제거됐다. 그렇지만 왕당파들은 별장이나 승강기 안에서 바바리맨 흉내를 내도 무사하다.

그것이 왕당파니까.

한 명은 첫 번째 제거 시도가 실패했다.

나는 그 사람을 모던보이라고 부른다. 그 이유는 나중에 알려주겠다. 제거 시도가 실패한 것은 민주주의의 근간에 관한 대법원 전원합의체 판례 때문이었다. 그러나 나중에 그 판례 역시 전관 대법관을 돈 주고 구할 수 있었기 때문이라는 사실을 알았다.

이 업계가 그렇게 돌아가는 것 같다.

레니비에나 CD가 항상 옳았다는 의미는 아니다. CD도 레니비에도 실수한 일이 있다. 그 실수가 뭐냐, 실수는 맞냐, 이런 의문이 제기될 수 있다. 슈퍼히어로 챕터 끝나면 밝히기로 한다. 그러나 CD가 쫓겨난 것은 결과적으로 전선을 달리하는 내부자가 있다는 의심을 품게 한 세 번째 사건이었다. 그러면, 첫 번째 사건이 레니비에고, 세 번째 사건이 CD면, 두 번째 사건은 도대체 뭐냐는 질문이 제기될 수 있다. 날카롭다. 이 글을 철저히 팔로우하고 있다는 의미이기도 하다.

내부자가 있다는 의심을 가지게 한 사건이 세 개밖에 없냐는 질문도 들려온다.

좋다. 이왕 이렇게 된 거 속 시원히 털어놓기로 한다. 지금까지는 네 개라고 할 수 있다. 내 사건은 나한테나 중요하지 실제로는 그렇게 중요하지 않을 수 있기 때문에 내 사건을 빼고 네 개다.

내부자의 존재에 대한 의심을 굳힌 두 번째 사건을 얘기할 시기가 됐다.

본격적으로 슈퍼히어로와의 연결 고리가 보이는 맥락이기도 하다. 두 번째 사건이 바로 내 친구인 민변 출신 시장과 관련돼 있다. 회사에서 야근을 하고 있는데 갑자기 동생에게서 연락이 왔다.

동생은 자기 일로 내 친구인 민변 출신 시장과 업무적 관계가 있었다. 시장이 본격적으로 일을 시작하기 전에 동생은 시청 직원으로부터 동생이 근무하는 회사의 런던 지사로 출장 여행을 보내달라는 요구를 받은 일이 있었다. 요구를 들어주지 않으면 시장 면담을 불허할 것 같은 태도를 보였다는 것이다. 그런데, 바로 그 무렵 내 친구인 민변 출신 시장이 대대적인 발표를 하나 했다.

'시청 직원이 업무처리 과정에서 민원인으로부터 단돈 1,000원이라도 받으면 징계 면직한다.'

그 후로 시장 면담과 협업 처리가 일사천리로 진행된 내 동생은 나보다 더 내 친구 시장을 존경하게 됐다. 그런 상황에서 갑자기 저녁에 동생에게서 '시장님이 OOO 만난 직후에 자살했대'라는 메시지가 온 것이다.

OOO는 나중에 '야누스'라는 이름으로 다시 등장한다.

뉴스를 열어보니 어떤 사람이 자기가 시장에게 추행당했다고 주장했다는 소식으로 도배가 돼 있었다.

내가 이런 식으로 언론을 통해 특정인을 범죄자로 단정해서 선동하는 것을 혐오한다는 것을 여러 번 밝혔다. 누가 언론을 통해 범죄자로 단정했다고 실제로 범죄자가 된다면 왜 로스쿨 학비가 연간 15만 불씩 될 정도로 비싸겠는가. 범죄 사실이 진실인지 여부를 법리와 증거로 판단하는 훈련을 시키기 위해서다. 범죄라는 게 법리적으로도 복잡하고, 증거법적으로도 복잡하며, 사실관계는 당사자가 얼마든지 거짓말로 꾸며낼 수 있어서 진실을 가리는 훈련을 법리적·증거법적·사실분석적으로 배워야 하기 때문이라는 말이다.

오징어가 어떤 오징어인가. 초록 대리석 오징어다, 이 말이다. 왜 갑자기 무생물이 생물이 되냐는 질문이 들린다.

초록 대리석은 오징어의 타고난 성향을 말하고, 오징어는… 외모가 그렇다는 말이다. 외모가 오징어라 함은 머리카락이 10개밖에 없다는 의미냐는 질문도 들린다. 그거보다 조금 더 된다.

우리 가족은 서울 한복판인 한강에서 약간 북쪽에 있는 북한산 자락인 구기동과 평창동에 산다. 서울 한가운데 남산 자락인 한남동과 장충동에도 산다.

한마디로, 다들 산에서 산다, 이 말이다.

모두 그린벨트 지역이어서 개발이 제한되어 있다. 일부러 한적하고 인구 밀도가 낮으면서도 숲으로 둘러싸인, 쾌적한 공간을 주거지로 선택했다는 의미다. 우리는 개발이 필요하다는 건 알지만, 개발이 싫어서 산으로 올라왔다.

내 친구 시장이 자살했다는 보도가 나오기 얼마 전부터 정부가 구기동, 평창동 일대 그린벨트를 해제하겠다는 소문이 살살 들려왔었다. 그리고 사망하기 얼마 전 당시 소속 집단 유명 인사를 만났다는 소식을 함께 들은 순간, 그리고 갑자기 이미 사망한 사람을 성추행범으로 단정하는 기사들이 도배되는 것이 눈에 들어왔다.

느낌이 좋지 않았다.

내 친구 시장이 변태라는 기사에 의문을 제기하는 글마다 '2차 가해'라는 낙인을 찍어 침묵시키려는 것도 눈에 보였다. 뭔가 일사불란하게 움직일 때는 군사작전 비슷한 작업이 진행되는 중이라고 의심해보는 것이 좋다.

오징어는 선동을 싫어한다.

그래서 내 친구인 시장의 팔짱을 끼고 함께 찍은 사진을 게시하면서 어떤 행위가 '추행'인지는 사실관계와 법리로 차분히 검토해야 하고, 검토 자체를 '2차 가해'라는 이름으로 막으려는 시도는 나치즘과 유사하다는 내용의 글을 썼다.

어디에 올렸는지 궁금하다는 얘기가 들린다. 알려주겠다. 'Humble Octopus'라는 페이스북 계정에 올렸다.

그 계정이 좀 알려진 계기가 있다.

그 얘기를 하려면 한국의 언론과 사무라이 환경에 대해 약간 설명을 해야 한다.

저명한 언론학자 마셜 어쩌구는 『미디어의 이해』라는 저서에서 언론사는 광고료를 벌기 위해 기사를 끼워파는 매체라는 취지의 언급을 한 일이 있다. 원래 학자의 성도 알았지만 발음이 까다로워서 자아들끼리 타협이 안 됐기 때문에 일단 어쩌구로 하고 넘어간다.

한국의 주류 언론 환경은 언론사가 광고료를 벌기 위해 기사를 끼워파는 매체라는 어쩌구의 통찰에 그대로 부합할 뿐만 아니라 한 발 더 나아가 독재국가형 부패의 전리품을 나누는 한 축이기도 하다. 독재국가형 부패의 전리품을 나누는 한 축이라는 것이 무슨 의미냐.

『염소의 축제』에 나온다.

『염소의 축제』가 뭐냐는 질문이 들려온다. 페루의 독재자 트루히요에 관한 책이다.

음… 소리가 들려온다.

그렇다. 페루가 아니었다. 도미니카 공화국이다.

트루히요의 예를 들자면, 거의 모든 공중파와 케이블 미디어가 1년 365일 트루히요를 찬양하는 방송을 하고, 트루히요가 먹다 남긴 이권·여자 등을 계승받아 즐긴다는 의미라고 할 수 있다. 이런 환경을 견디다 못한 기자들이 유튜브를 이용해 탐사보도 영역을 새로 개척하는 중이라는 사실도 중요하지만 얘기가 옆으로 새니까 여기서 일단 끊겠다.

요점은, 한국에서는 기존 미디어와 뉴미디어가 서로 다르게 포지셔닝했고, 기존 주류 미디어는 독재와 전체주의 회귀의 한 축이라는 의미다.

그러면 한국의 사무라이는 어떠냐.

이제는 말할 수 있다. 한국의 사무라이 환경은 상당히 기형적이고 변태스럽다.

원래 한국은 3,000년 가까이 왕조 국가였다. 민중 혁명이 성공한 사례가 없다는 의미다.

이렇게 단정하면 4·19 혁명, 5·18 민주화운동, 6·10 민주항쟁을 무시하는 것 아니냐는 트집이 제기될 수 있다. 내가 제일 싫어하는 것 중 하나는 트집 잡는 것이다. 앞에서 분명히 '왕조 시대'라고 못을 박았다, 이 말이다. 이제 트집 잡으려는 심사는 가까이에 있는 서랍에 고이 넣어두고 마저 읽어주기 바란다.

우리나라 왕조 말기에는 왕족과 구 외척과 현 외척이 서로 이권을 더 먹겠다고 싸우다가, 조선을 통째로 노리던 러시아·중국·일본이 서로 전쟁을 벌인 후 이긴 쪽인 일본에 조선의 고위

간부들이 나라를 순순히 바치는 협약을 했다.

그 후 일본이 도입한 수사 시스템은 독립운동가들을 잡아넣는 역할을 해왔다. 우리나라는 제2차 세계대전으로 일본이 패망하자마자 내전이 벌어져 남북으로 나뉜 뒤 각각 독재자들의 지배를 받게 됐다.

나는 남쪽에서 서식하는 오징어다, 이 말이다.

한국은 남쪽이고, 북한은 북쪽이다. 한국은 정치 깡패들을 동원한 독재자가 18년간 지배했다. 대통령 선거의 경쟁자들은 사형을 당하거나 선거 직전에 급사했다. 독재자는, 그랬다가 한 번 더 하겠다고 선거 결과를 조작하고서는 시민들이 전국 방방곡곡에서 들고일어나니 몰래 미국으로 도망쳤다.

그 직후 일제강점기 일본군 장교로 복무했던 군인이 반란을 일으켜 대통령에 취임했다. 28년간 계속된 군사독재 시절의 시작이다. 군사독재 시절에도 정치 깡패들을 동원한 이전 독재 시대와 동일한 수사와 재판 시스템을 이용했다.

틈만 나면 사무라이들을 동원해 민주주의와 실질적 법치주의를 열망하는 학생들을 반란자로 몰아 사형에 처했다. 그 틈에 군인, 깡패, 정보부 직원들은 사람들의 재산을 약탈하고 여자들을 강제로 겁탈하기도 했다. 마리오 바르가스 요사는 트루히요를 염소라고 불렀지만, 이건 내 책이니까 나쁜 짓을 한 사람들의 나쁜 행위를 설명하기 위해 한국적 용어를 쓰기로 한다. 그 시절 한국에서는 난쟁이의 축제, 대머리의 축제가 벌어졌었다. 키 작은 분들, 머리 없는 분들을 비하하려는 거냐는 트집이 들려온다. 흥분하면 안 된다. 오징어도 키가 작고, 머리카락이 10개보다 조금 더 될 뿐이지 않은가.

난쟁이의 축제와 대머리의 축제가 무려 28년이나 계속되는 와중에 사무라이가 어느새 시스템의 최상위 포식자로 뛰어올랐다. 대통령이 퇴임할 때만 되면 친인척을 수사해서 세력을 키웠기 때문이다.

그래서 사무라이가 기존 미디어와 동맹을 맺기만 하면 아무나 뭣으로든 엮어서 감옥에 보내고 재산을 빼돌리는 일이 가능해졌다. 그럼에도 얼마 전까지는 자기들이 군인들처럼 국가 전체를 무력으로 통제하거나 통째로 먹을 수는 없었다. 그런데, 기존 미디어에 사실과 다른 수사정보 수백만 건을 뿌려가면서 사람들을 상장으로 엮어 넣음으로써 선출직 공직자인 대통령의 공무원 임명권에 도전하기로 한 것이었다.

원래 견고한 성도 한쪽 담이 무너지면서 붕괴가 시작된다.

사무라이는 레니비에를 약한 담으로 삼아 민주주의라는 성을 무너뜨리고 군사독재 대신 사무라이 독재 시대로 진입하려고 한 것으로 보였다.

이런 상황에서, 정치 평론을 하는 한 유명한 전직 장관이 자기가 하는 유튜브 방송에서 사무라이가 하려는 행위의 본질과 성격을 짚어주는 설명을 한 일이 있다. 그 장관의 이름이 「시티즌 케인」처럼 시티즌이므로 여기서는 시티즌이라고 칭하기로 한다.

시티즌이 사무라이의 선동에 제동을 걸기 시작한 것이다.

실질적 공화주의자들은 시티즌의 설명을 들으면서 사태의 발생 원인을 알아 나가기 시작했다. 그러자 사무라이가 시티즌 장관이 무슨 죄라도 지은 것처럼 수사할 태세를 보이고 기존 미디어는 그런 태도를 당연시하는 듯 확대 재생산했다.

이 업계에 종사하는 오징어로서는 사무라이의 행위를 법률과 판례에 따라 평가하지 않을 수 없었다.

그래서 한국과 미국에서 모두 변호사 자격을 취득한 법률가의 관점에서 사무라이 행위의 위헌성·위법성을 짚어 사람들에게 알려주기 위해 'Humble Octopus'라는 계정을 만들고, 법리와 의견을 썼다.

우리는 뭔가 잘못되어갈 때 잘못되어간다는 느낌은 있지만, 그것이 뭔가 확고하고 변경할 수 없는 원칙에 위반되는 행위이기 때문에 잘못되어 있다는 것을 눈으로 보고 싶어 한다. 국가의 일개 임명직 공무원이 권한을 남용하지 못하도록 하는 규정을 사람들이 눈으로 보고, 그 규정을 위반하는 사람들이 권력을 휘두르는 것을 볼 때 선동은 일단 멈칫하게 된다.

기존 미디어를 통해 시티즌 장관까지 범죄자로 단정하고 수사 위협을 통해 침묵시키려고 하는 것은 위법하다는 내용의 법률 규정을 직접 게시하자 뭔가 잘못되어 가고 있다는 느낌을 가지던 사람들 사이에 ‘Humble Octopus’가 서서히 회자되기 시작했다.

그래서 쫌 유명해졌다.

아주 유명해진 것은 아니고, 2,000명 정도가 친구가 되자고 해왔다.

부끄럽다.

지금은 쫌 늘었다. 그래도 여전히 부끄럽다. 그 때 사무라이는 자기들이 하수인 비슷하게 부리던 한 기자를 통해 나에게 겁박 전화를 하는 것으로 반응했다.

오징어시죠? 나 어디서 일하는 아무개 기자인데요, 지금 징계 심사 중이라는데 알고나 계시겠어요?

내가 겁먹을 줄 알았나보다.

그런데 나는 하수인과 통화 내용을 모두 녹음하고 당일 공개해버렸다. 그래서 조금 더 유명해졌다. 여기서 유명해졌다는 것은 이 업계에서나 그렇다는 의미다. 마이클 잭슨이나 마돈나, 아말 클루니 이런 수준이라는 의미가 아니다. 내 계정이 약간 알려지게 된 얘기를 하다가 설명이 길어졌다. 누구나 다 아는 얘기가 조금 많이 들어가서 지루했을 수도 있다. 이제 서두가 끝났다. 서두는 레니비에 사건을 계기로 내가 쫌 유명해진 것으로 정리하면 되겠다.

이제 다시 내 친구 시장을 변태로 선동한 것에 분노했다는 얘기로 돌아온다.

내가 약간 유명해진 내 계정에, 증거나 법리 판단 없이 함부로 기존 미디어를 동원해 다른 사람을 변태 범죄자로 단정하면 안 된다는 글을 올리자 난리가 난 것 같았다. 왜 '같았다'라는 표현을 쓰느냐는 의문이 있을 수 있다. 나는 뉴스를 안 보기 때문이다. 한국의 언론 현상 중 조금 전에 까먹고 얘기하지 않은 것이 하나 더 있는데, 한국의 언론은 인터넷 광고 시장의 60%를 차지하는 한 포털 사이트에 기사를 납품하고 돈을 받는다.

포털 사이트는 인터넷상의 시장이나 백화점과 같다. 일단 사람들이 많이 모이면 거기서 장사를 하는 업체들이 물건을 팔고 돈을 벌 수가 있다. 그래서 주류 미디어 기자들이 기사를 쓰기보다는 돈을 주는 쪽의 입장을 대변하는 홍보물을 작성하거나 그 경쟁사나 경쟁자를 비방하는 글을 작성하는 광고 하청업자가 된 지 꽤 됐다.

단순한 하청업자를 넘어, 선동의 최전선에서 활동하는 것이 레드룸 패밀리다. 레드룸 패밀리를 운영하는 업체는 괴벨스를 롤모델로 한다고 보면 된다. 얘네들이 포털에서 주로 활동한다. 나는 포털 사이트가 너무 산만해서 구글 크롬만 사용한 지가 10년 넘었다. 크롬은 아무것도 없는 깨끗한 화면에 매일매일 디자인이 달라지는 'google'이라는 글자만 보이는데, 창의력과 참

신함과 청명함이 남다르다. 구글 코리아 지사장이 한국인으로 바뀌면서 구글도 많이 오염되기는 했다.

그러면 도대체 뉴스를 어디서 접하냐는 질문이 제기될 수 있다. 질문이 너무 많은 것 같다. 'Humble Octopus'의 친구들이 뉴스를 보고 공유한 것을 접하게 된다고 밝혀둔다.

중요한 것은, 내 친구 시장을 증거나 법리 판단 없이 성범죄자로 단정하지 말아야 된다고 글을 올리자 외관상 공화주의자였던 사람들이 나까지 변태로 몰았다는 사실이다.

가히 나치즘이나 매카시즘에 유사한 광기라고 할 수 있다. 아울러, 하나 밝혀둘 것이 있다.

나는 정곡은 찌를지언정 변태는 아니다.

변태가 되려면 느끼해야 하는데, 워낙 지방질이 없기 때문이다.

탄수화물 중독이기는 하다.

여기서, 『레닌저 생화학』 8판을 읽은 사람은 "탄수화물 중독이면 'neo fat genesis'를 거쳐 지방질이 생기니까 당신 변태 맞다"고 하고 싶겠지만 좀 조용히 해주기 바란다. 하고 싶은 얘기를 자꾸 까먹기 때문이다.

어쨌든, 오징어는 일단 변태가 아닌 것으로 정리하고 넘어가기로 한다.

여기서는 성을 무기로 다른 사람을 변태로 몰아 수사로 처리하거나 사회적으로 매장시키려는 과격한 움직임을 '페미나치'라고 부르기로 한다. 자기가 이 개념 안에 들어 있다고 생각하면 조용히 반성하면 되고, 자기가 이 개념 안에 들어 있지 않다고 생각하면 '나를 지칭하는 거냐'면서 제 발 저릴 필요 없이, 그냥 마저 읽으면 되겠다.

사무라이나 잡채밥도 동일하다. 흥분하지 않는 것이 중요하다.

'제 발 저리다'의 영어 표현은 'guilty conscience'다. 누군가가 증거나 법리 없이 선동할 경우 일단 의심해야 한다는 것이 철학이라는 사실을 앞에서 이미 쓴 것 같다. 안 썼으면 지금 쓴 걸로 하기로 한다.

내 친구 시장을 성범죄 변태로 모는 움직임에 대한 반응에서 크게 세 분류로 나뉘게 됐다. 하나는, 페미나치의 광기에 기꺼이 굴복하는 편, 또 하나는 적극 맞서 대항하기로 하는 편, 나머지 하나는 페미나치를 극단적으로 밀고 동승하려는 편. 이렇게 셋이다.

양성 생식을 하는 포유류에서 암컷은 성세포의 크기가 크고 수가 적은 쪽을, 수컷은 성세포의 크기가 작고 수가 많은 쪽을 의미한다는 정의가 있다. 수컷들은 테스토스테론이라는 호르몬으로 인해 크기가 크고 지위 경쟁을 벌이며, 지위 경쟁의 목표는 최대한 많은 수의 암컷을 임신하게 해서 자기 유전자를 많이 남기는 것이다. 이런 생물학적 한계로 인해 영장류의 일종인 호모 사피엔스 여성도 남성에게 힘으로 밀리는 현상이 벌어지곤 한다. 조디 포스터가 아카데미 여우주연상을 탄 영화 「피고인」(The Accused)이 이런 상황을 매우 잘 나타낸다. 그러나 페미나치는 이 측면만 극단적으로 강조하는 움직임이다.

호모 사피엔스 여성이 언제나 힘으로 밀려 남성에게 당하는 것이 아니라는 의미다.

의사에 반해 힘으로 당하고 싶지 않아 마음에 들지는 않더라도 적절한 힘으로 다른 남성으로부터 보호해줄 수 있는 짝을 데리고 사는 여성도 있고, 그러다가 더 적절한 보호를 제공해주는 남성에게 옮겨가는 여성도 있다. 즉, 언제나 수동적으로 당하기만 하고, 성적으로 자기의 의사를 결정하거나 실행에 옮길 수 없는 '무능아'가 아니라, 적극적으로 전략을 생각하고 실천할 수 있는 지능을 갖춘 호모 사피엔스의 일원이라는 의미다.

「댈러스」라는 드라마에서 한 유능한 교수를 흠모하는 여학생이 교수에게 대시했다가 거절당하자 자기 옷을 찢고 강간당한 것처럼 가장하는 장면이 이런 양면성을 보여준다.

게다가, 법률은 피해자의 신체 부위별로 처벌 규정을 서로 다르게 하고 있는데도 불구하고, 아직도 대부분의 구성원이 남성 대법관으로 이루어져 있는 대법원 판례는 죄의 개수를 가해자에게 유리하게 판단하는 법리가 바뀌지 않고 있다. 그렇기 때문에 오로지 특정 집단에 소속되어 있는 사람들을 사회적으로 매장시키려는 방향으로만 '성인지 감수성'이라는 용어를 동원하는 것처럼 보이는 시대에는 더욱 선동에 휘둘리지 말아야 한다.

쓰다 보니 논문이 됐다. 죄송하다.

두개골을 열고 나면 이렇게 된다. 이제, 거두절미하겠다. 'Humble Octopus' 계정에 글을 올리고 나니 외관상 공화주의자들이 지배하는 정부 내에서, 페미나치를 효과적으로 이용하려는 쪽에서는 또 이것저것 여러 가지를 엮어서 징계하겠다고 통지해 왔다.

이렇게 생각하면 된다.

어떤 사람이 당신에게 "너, 아직도 변태 짓 하고 다니냐? 빨리 사과해"라고 말하는 상황을 가정해보자. 당신은 "내가 왜 변태인데?"라고 항의할 수 없다. 말을 꺼내려는 순간, "이 인간 봐라? 2차 가해네?"라고 이단 콤보 주먹이 다시 날아오기 때문이다.

정부 내에서 누군가는 내 친구 시장을 변태로 몰아 매장해야만 자기가 유리해진다고 판단한 것 같았다. 그게 아니더라도, 내 친구 시장이 정말 변태인지 아닌지는 법리적 차원과, 증거관계 차원에서 살펴봐야 하는 문제가 분명하다. 나로서는 사무라이의 민주주의 전복에 반대하는 전선에 이어 두 번째 전선이 된다.

진실을 탐구하는 대신 누군가를 변태로 선동하려는 움직임에 적극 저항해 진실을 탐지하겠다고 하는 사람들도 여기저기에 모였다.

원래 우리나라 광고업계의 내로라하는 귀재였던 대표 한 사람은 뉴미디어를 만들어 능력 있는 작가와 기자들을 끌어들이고, 제보받은 동영상과 사진을 공개하기도 했다.

이 팀을 리프킨이라고 부르기로 한다.

이 팀의 업무에서 세계적 석학 제러미 리프킨의 명저 『공감의 시대』가 떠오르기 때문이다. 페미나치의 위험에 대한 기사를 썼다가 중징계를 받게 된 기자 한 사람도 리프킨 팀에 합류했다. 이분은 진정 스마트한데, 폭발적인 함축을 담고 있는 기사를 송고하면서도 침착성의 최고 단위 레벨을 보여주기 때문에 나는 이분을 고요의 바다를 의미하는 '트랜퀼'이라고 부르기로 했다. 'Tranquility'에서 따온 것인데, 음절이 길기 때문에 앞에서 세 음절로 잘랐다. 리프킨 팀은 이후 반(反) 페미나치 전선에서뿐만 아니라 확고한 민주주의 전선에서도 나와 뜻을 같이했다.

뜻만 같이했다는 의미다. 활약은 리프킨 팀만 했다.

리프킨 팀과 별도로 활약한 황야의 인물도 있다. 취재 과정에서 신장 투석까지 받아야 할 정도로 몸이 쇠약해진 기자인데, 여기서는 니체라고 부르기로 한다. 왜 니체라고 부르냐. 조금만 기다리면 된다.

이 책은 인내심을 시험하는 책이기도 하기 때문에 조급하게 굴지 않기로 합의하자.

고맙다.

니체는 원래 기존 언론사에서 내 친구 시장을 전담 취재하던 기자였다. 유명해지면 전담 기자들이 많이 붙는데, 니체는 내 친구 시장을 취재하던 기자들 중에도 상당히 까칠하고 냉정하다는 평가를 받았다고들 했다.

원래 이야고 같은 사람이 변절하는 법이다.

이야고가 누군지는 셰익스피어에게 물어봐야 한다. 내가 『오셀로』를 별로 좋아하지 않기 때문이다. 『오셀로』는 너무나 답답한 작품이라서 그렇다. 이야고는 주인공 중 가장 답답한 캐릭터이기도 하다.

그러면 리어왕이나 햄릿이나 로미오는 상쾌하냐는 질문이 제기된다.

자제해주기 바란다.

지금 그 질문이 바로 괴벨스식 질문이라는 점도 명심해주면 좋겠다. 오셀로의 성격 판단에 그 여집합의 성격 판단은 포함되지 않는다는 것이 수학 과목을 배울 때 가장 먼저 나오는 집합 챕터다.

여기서 벤다이어그램을 그려서 알려주겠다. (212쪽)

A, B, C는 모두 셰익스피어라는 공통된 집합 안에 들어 있지만 서로 관련이 없다. 헨리 8세의 두 번째 왕비 앤 불린이 비극적이라고 표현한다고 해서 이야고가 간사하지 않다고 표현한 것은 아닌데도, 난데없이 이야고 얘기를 꺼내면서 트집을 잡는 것이

```
┌─────────────────────────────────┐
│                    ┌──────────────────┐  │
│                    │ A집합 :          │  │
│                    │ 오셀로＝답답하군.  │  │
│                    └──────────────────┘  │
│                                          │
│  ┌──────────────────────────────┐        │
│  │ B집합 : 햄릿＝답답하고 어리석군.  │     │
│  └──────────────────────────────┘        │
│                                          │
│  샤일록＝유대인이 재판에서 차별을 받았군.    │
│                                          │
│  이야고＝간사하군.                          │
│                                          │
│  데스데모나 ＝불쌍하군.                      │
│                                          │
│                                          │
│  ┌─────────────────────────────────┐     │
│  │ C집합 : 앤 불린 ＝비극적이고 잔인하군.  │  │
│  └─────────────────────────────────┘     │
└─────────────────────────────────┘
```

괴벨스식 선동이라고 할 수 있다, 이 말이다.

누구에게나 까칠한 사람은 막상 상대방이 어려움에 처했을 때에도 다수 편에서 비굴하게 행동하지 않고, 진실을 탐구하고자 하는 법이다.

니체가 페미나치 선동에 반감을 느꼈는지, 직접 관련자 약 50명을 일일이 취재해서 사태의 진실을 밝히는 책을 써냈다. 그 책의 제목을 니체의 책에서 땄다. 그래서 그 기자를 니체라고 부른다.

나는 『안티크리스트』나 『자라투스트라는 이렇게 말했다』를 재미있게 읽었기 때문에 니체의 책을 바로 사서 읽었고, 니체와도 친구가 되기로 했다.

나는 니체의 친구가 아닐지는 모르지만 니체는 내 친구다.

『안티크리스트』나 『자라투스트라는 이렇게 말했다』를 좋아하는 이유가 뭐냐는 질문이 제기된다. 니체의 책 중에서도 분량이 많지 않기 때문이라는 대답을 기대하는 눈치로 보인다.

역시 여기까지 읽은 독자답다.

그렇지만 기독교에 대해 니체가 이해한 본질이 나중에 노벨문학상을 수상한 작가 엘리아스 카네티의 책 『군중과 권력』에서 바라본 인간 심리와 정확히 일치한다는 점은 소개하고 넘어가자 한다.


기독교에서는 정복당한 자들과 억압받는 군중들의 본성이 그대로 나타나 있다. 기독교에서 구원을 얻으려는 자들은 최하층 계급이다. 하느님이라고 불리는 권력자에 대한 열정이 지속되는데, 견해를 달리하는 자들에 대한 증오와 박해의 욕구가 본질이라고 할 수 있다.*

* 프리드리히 니체, 나경인 옮김, 『안티크리스트』, 이너북, 2014.

내가 견해를 달리하는 사람들에 대한 증오와 박해 욕구로 불타오르는 사무라이를 싫어한다는 얘기는 많이 했다.

외관상 공화주의자들까지 이런 군중 심리와 사무라이를 이용한 변태몰이를 개시했을 때 대부분은 숨었다.

나는 내 친구 시장이 살아 있었을 때 내 친구 시장의 친구를 자처하면서 내 앞에서 전화를 걸어 친분을 과시하던 한 여성을 알고 있다. 그 분은 내 친구 시장과 오랜 친구였다면서도 그냥 숨었다.

숨지 않고 페미나치의 선동에 적극 저항하겠다는 친구들이 기자나 뉴미디어 설립자들 등 언론계 인사들만 있었던 것은 아니다.

내가 슈퍼히어로라고 부르는 변호사님이 한 분 더 있었다. 이제야 본론으로 들어온 것이다.

여기까지 읽은 분들은 이 책이 ▽ 이런 모양이라는 것을 알게 됐을 것 같다.

두개골을 열었기 때문에 서론이 길고, 결론은 짧다. 슈퍼히어로는 내 친구 시장이 성추행범으로 단정된 결론에 대해 유족들로부터 막연히 도와달라는 의뢰를 받았다. 슈퍼히어로답게 기민하게 민·형사, 행정 소송으로 직접 대응하고 그 과정과 결과를 그 때그 때 상세히 알렸다. 페미나치를 동원해 선동하는 것은 여권 신장이 아니라 경쟁자에게 변태라는 낙인을 찍어 몰락시키려는 것이라는 내 통찰과 유사한 느낌을 받은 분이라는 생각도 들었다. 그래서 나는 페미나치 선동에 대응해야 한다는 대의를 위해 슈퍼히어로와 한 팀이 되기로 마음먹었다.

내가 한 팀이 되고 싶어서 된 것은 아니다.

내가 누군가 다른 사람과 한 팀이 된다는 의미는 내가 보복을 받고 있다는 의미고, 쟁송에 휘말렸다는 뜻이기 때문이다.

이런 상황을 즐기는 게 아니냐는 질문이 들려온다.

상관완아가 측천무후에게 한 대답을 빌려 들려주고자 한다.

"즐긴다고 하면 변태요, 즐기지 않는다고 하면 겁쟁이니 어찌 답하리오."

상관완아는 네 살 때 자기 부모와 일가족을 몰살시킨 측천무후 앞으로 불려가 "나를 원망하느냐"는 질문을 받았다. 그 때 상관완아는 "원망한다고 하면 불충이고, 원망하지 않는다고 하면 불효이니 어찌 답하리오"라고 했다.

결국 나는 분쟁에 휘말렸다.

그래서 페미나치 선동을 통해 이익을 얻고자 하는 집단에 저항하기로 했다. 그리고 슈퍼히어로에게 그 분쟁에서 변호인을 맡아달라고 했다. 슈퍼히어로답게 통 큰 모습으로 기꺼이 한 팀이 되기로 했다. 그래서 나는 새로운 전선에서 슈퍼히어로, 리프킨, 니체, 트랜퀼과 함께 한 팀이 됐다. 자기들끼리는 한 팀이 아닐 수도 있다. 그렇지만 이 책은 내 책이기 때문에 한 팀이라고 선언하노라.

'선언하노라' 이 부분은 반드시 라틴어로 번역해주길 바란다. 우디 앨런의 영화 「Everyone says I love you」에서 자유주의자며 민주당 지지자인 아버지가 전과자와 결혼하겠다는 딸의 자유를 억압하기 위해 사용하는 용어이기 때문이다.

이제 슈퍼히어로가 마블 코믹스의 어느 캐릭터인지 밝힐 때가 됐다.

내가 처음 이분을 슈퍼히어로라고 여겼을 때 나는 '로다주'를 떠올리고 있었다. 로다주는 로버트 다우니 주니어라는 유명 배우인데, 한국에서 워낙 인기가 많다 보니 로다주라는 애칭으로 불린다. 로다주는 「아이언맨」이라는 영화의 주인공으로 슈퍼히어로물이 음산하고 의기소침했던 할리우드에 새바람을 일으킨 배우다. 그러나 「아이언맨」은 「어벤져스」라는 스핀오프 비슷한 시리즈에서 지구 파괴를 통해 환경적 균형을 회복하고자 하는 막강한 캐릭터와 대적하다가 장렬히 소멸한다.

슈퍼히어로는 슈퍼히어로답게 전광석화처럼 일사불란하게 페미나치 선동의 본진이라고 할 수 있는 한 국가 기관에 대해 행정소송을 제기하고, 그 과정에서 도대체 뭘 근거로 내 친구 시장이 변태라고 공표한 건지 밝히라는 정보공개 결정을 받아냈다. 내 친구 시장이 성범죄자라는 오명에서 명예가 회복될 수 있는 절호의 기회였다.

그런데, 슈퍼히어로가 갑자기 유족들로부터 해임됐다.

원래 내 친구 시장은 검사였지만 검사 일에 환멸을 품고 저작권법 전문 변호사로 활약해서 큰돈을 번 일이 있다. 그렇게 번 돈을 모두 문인협회에 기증하고, 나중에 돈을 또 벌면 전부 사회에 환원해서 가족들은 돈이 없었다. 오히려 빚만 있었다. 법률적이고도 공식적으로 명예를 회복할 수 있는 순간에 갑자기 슈퍼히어로를 해임하도록 바람을 넣은 사람들이 누구인지는 알지 못한다.

시기는, 2022년 한국 슈퍼볼을 겨우 며칠 앞둔 때였다. 누군가에게 내 친구인 시장은 증거도 없이 영원히 변태, 성범죄자로 기억되어야 하는 것이다.

이 바닥이 그렇게 돌아가는 것 같다.

나는 그 중 특히, 가장 먼저 내 친구 시장을 변태로 단정하는 듯한 태도를 굳힌 한 사람을 기억한다. 나중에 야누스라는 이름으로 또 나온다. 물론 나와 슈퍼히어로가 한 팀이 된 일은 이제 시작이다.

# 버클리

버클리는 서서히 떠오르기 시작했다.

한국에서는 2022년 슈퍼볼을 앞두고 1년 만에 여론조사 기관이 20개쯤 더 생겼다. 그래서 돈이 충분히 많은 사람은 아무것도 안 하고도 여론조사 기관 사장 그리고 레드룸 패밀리와만 친하면 푸틴 대통령의 득표율 110%를 뛰어넘는 지지율을 자랑할 수 있다. 어떻게 110%가 가능하냐는 의문이 제기된다. 현대 한국에서는 불가능이 없다. 망자에게 제사도 지내고, 동물들에게도 물어봐서 유권자 수보다 더 높은 지지율을 받을 수 있게 된다.

약간 과장이다.

이해해야 한다. 보르헤스와 사라마구를 너무 많이 읽어서 그렇다.

버클리는 우리나라의 최고 법대를 졸업하고 최고의 로펌에서 근무하다가 버클리 로스쿨로 유학가서 캘리포니아주 변호사 시험에 붙었다. 한국과 미국에서 모두 변호사라는 의미다.

그렇다, 오징어가 떠오른다.

오징어 또한 그렇다. 이 대목에서 오징어냐 대리석이냐 명칭을 통일해달라는 요청이 접수된다. 안 된다. 『전쟁과 평화』『죄와 벌』『어머니』『수용소 군도』『닥터 지바고』를 떠올려보기 바란다. 한 사람인데도 이름이 수십 개씩 나온다. 여기서는 딱 두 개니까 참아야 한다.

버클리는 1960년대 미국 민권운동이 가장 활발하게 진행됐던 역사적 학교이기도 하고, 마이클 잭슨의 평생 변호사였던 존 브랑카가 졸업한 로스쿨이기도 해서, 버클리 변호사가 서서히 떠올랐을 때 바로 알아봤다.

'글라디에이터는 글라디에이터를 알아본다'는 말은 내가 버클리 변호사를 알아보고 몇 달 뒤에 나온 말이다. 이 책에서는 그 변호사 이름을 버클리로 부르기로 한다. 버클리는 IT와 빅데이터 분석, 그리고 표현의 자유와 기업회계에 특화된 분이다. 전문 분야가 네 개나 되는데도 문어발식 운영이 아니라 전문 분야가 특화됐다고 단정할 수 있냐는 반론이 제기된다. 문어는 발이 8개이기 때문에 4개의 전문 분야로는 문어발이라고 할 수 없음을 선언하고자 한다.

버클리가 서서히 두각을 나타낸 계기는 아이러니하게도, 여론조사 업체들이 난무했기 때문이다. 누구나 돈을 좀 찔러주면 직원 3명인 업체에서 자기 인기가 80%쯤 되는 것처럼 자료를 만들어줄 수 있게 되어서였다. 버클리는 『모두 거짓말을 한다』의 저자인 다비도위츠의 분석과 마찬가지로 우리나라에서 확인되는 빅데이터로 누가 실제로 경기에서 이길지 예측하는 프로그램을 만들었다. 버클리는 이 통계로 진성 왕당파의 당 대표 선거 득표율을 맞혔다. 그 이후, 외관상 공화주의자와 진성 공화주의자가 섞여 있는 집단과 진성 왕당파 집단의 대통령 후보 예선 결과도 마지막 날을 제외하고는 모두 맞혔다.

여기서, 두 집단의 마지막 날이 제외된 것이 바로, 내가 외관상 공화주의자 집단 중 전선을 달리하는 내부자가 있다는 의심을 가지게 한 네 번째 사건이다. 그게 바로 내가 결정적으로 버클리와 한 팀이 된 사건이기도 하다.

또 논문이 될까봐 간략하게만 언급하기로 한다.

민주주의는 시민들이 모두 자유롭고 평등하게 태어났다는 '가설'을 전제로 한다. 어디까지나 '가설'이다. 실제로 그렇게 태어난 적은 없다. 그렇지만 민주주의라는 것이 아무도 그 누구로부터의 폭거와 자의로부터 피해를 입지 않도록 시민들이 서로 지켜주는 체제를 만들어야 한다는 이상을 가진 사람들이 피를 흘려가면서 만든 체제이기 때문에 우리는 이 가설을 받아들이게 된다.

이 가설에 따르면, 누군가의 권리와 자유를 제약하거나 다른 사람과 다르게 취급하려면 그 사람을 포함한 시민들이 뽑은 대표들이 결정한 룰에 따라야 한다는 것이 민주주의다. 법치주의는 한 번 룰이 정해지면 지켜야 한다는 규칙이다. 그래서 시민들이 룰을 정하는 대표를 뽑는 민주주의 원칙과, 대표들이 정한 룰을 관철하는 법치주의 원칙은 둘 다 매우 중요하다.

문제는, 법치주의의 영역에서 외국은 배심제라는 사법민주화 제도가 도입돼 있어서, 어떤 행위가 죄가 되느냐를 시민들의 눈높이에서 결정하지만, 벨라루스나 한국이나 중국 같은 나라에서는 시험 봐서 임명된 관료들이 결정한다는 차이가 있다. 그래서 사법 민주화가 안 된 나라에서는 외관상 공화주의자나 왕당파가 수사와 재판 업무에 종사하는 관료들을 마음대로 동원할 수 있게 된다.

특히 한국에서는 독재국가 시절을 거치면서 전·현직 사무라이가 거의 제한 없이 아무나 표적으로 정해 수사를 빌미로 죽이거나 자살시키거나 재산을 빼앗아 차지하는 이권에 독점적으로 참여할 수 있게 됐다. 나도 원래 몰랐다가 여기까지 오는 과정에서야 알게 됐다. 원래는 사무라이도 임명권자의 노예인 줄 알았다.

순진했었다, 이 말이다.

사무라이가 그렇게 아무나 표적으로 정해 망가뜨릴 수 있는 상황에 대응하겠다는 전선이 있었다는 얘기는 한참 전에 했다. 그 전선에서 희생된 사람들이 고등학교만 졸업한 인권변호사 출신 대통령과 레니비에, 그리고 CD라고도 했다. 오징어가 사무라이의 월권에 대해 청구한 감찰이 사무라이에 의한 보복의 성공으로 끝난 것도 약간의 희생이라고 할 수 있다. 그 중 인권변호사 출신 대통령은 자살당했고, 레니비에는 가족이 감옥에 갇히고 자기는 쫓겨났으며, CD는 병든 아들이 군대에서 병가를 냈다고 수사를 받고 나서 쫓겨났다. 자살당한 대통령의 마지막 비서관은 도지사를 하던 중 그전에 킹크랩을 식당에서 먹었다는 혐의로 수사를 받고 감옥에 갔고, 한국의 중심부에서 어르신들에게 많은 인기를 얻던 한 도지사는 변태로 낙인찍혀 감옥에 갔다는 얘기도 했다. 이제 단 두 사람이 남아 있을 뿐이다. 내가 앞에서 모던보이라고 불렀던 사람이 그 중 하나다.

찰리 채플린은 너무 가난해서 어렸을 때부터 공장에 다니면서 일을 해야 했다. 내가 가장 좋아하는 찰리 채플린의 영화는 「모던 타임즈」와 「키드」다. 「모던 타임즈」는 공장식 시스템에 관한 영화고, 「키드」는 가난한 어린이에 관한 영화다. 앞에서 모던보이라고 불렀던 사람도 어렸을 때부터 너무 가난해서 공장에 다녔다. 그러면 왜 모던키드라고 하지 않고 모던보이라고 하냐. 일단, 이분이 다 컸기 때문에 키드라고 하면 감정 문제가 생긴다.

다음으로, 내가 배우 김혜수를 너무너무 좋아하고 존경한다는 얘기는 했다. 모던키드 비슷한 어휘로 모던보이가 있는데, 배우 김혜수가 「모던보이」라는 제목의 영화에 출연했기 때문이다. 「모던보이」 얘기를 하다 보니, 배우 김혜수가 주연한 영화 「모던보이」의 또 다른 주연 배우 박해일이 떠오른다. 그렇지만 박해일 닮은 변호사는 떠오르지 않는다.

…그렇다. 거짓말을 했다. 나도 인간이다, 이 말이다.

배우 박해일이 떠오른다고 쓰고서, 박해일 닮은 변호사가 몇 쪽에 나오는지 잠시 검색했었다. 머릿속에서 몇 쪽에 있는지를 검색했다, 이 말이다.

이제 모던보이 얘기로 다시 돌아온다.

모던보이는 독학으로 대학 입학시험을 마치고, 4년 전액 장학금을 받아 대학에 들어간 다음 사법고시에 합격하고 인권변호사가 됐다. 모던보이는 그 후 가난한 사람들이 저렴한 비용으로 양질의 의료 서비스를 받을 수 있도록 해야 한다는 신념을 가지고 시민단체 활동을 하다가 좌절되자 그 꿈을 이루겠다는 일념으로 민주주의 원칙에 따라 시장에 도전해서 선출됐고, 두 번 연임한 후에는 도지사로도 선출됐다. 그런데 사무라이가 토론회에서 있었던 모던보이의 사소한 발언에 말꼬리를 잡아 기소했고, 여기서 우격다짐 방식의 법치주의 대신 투표에 의한 공직자 선출이 중심이 되는 민주주의 원칙이 중요하다는 대법원 전원합의체 판결이 선고된 것이었다.

당연한 법리를 언급하는 판결을 선고하는 것에, 전관에게 제공하는 돈이 필요 없는 세상이 빨리 오면 좋겠다.

그럼, 나는 여기서 나가면 인권변호사 안 할 거냐는 항의가 들려온다. 오징어도사권 변호사를 할 것이라는 대답을 돌려주겠다. 어찌 됐든, 모던보이는 도지사 자리를 잃을 우려가 있는 상태에서 민주주의의 원칙과 표현의 자유의 관계에 대한 대법원 판례를 남기며 화려하게 부활했다. 그래서 모던보이는 슈퍼볼 예선에 참여하기로 결정했다.

여기서 선두주자 중 마지막 한 사람이 등장한다.

나는 그 사람을 야누스라고 부른다. 야누스는 로마 신화에서 두 얼굴을 가진 중간계의 신이다. 한국의 야누스와 너무나도 딱 들어맞는 설정이라고 할 수 있다. 야누스는 원래 한국에서 가장 좋은 법대를 졸업했지만 사법시험에 합격하지 못하자 회사에 들어갔는데, 그 때는 군사독재 시절이었다. 그러다가 야누스는 한국 민주주의의 선구자라고 할 수 있는 사람이 대통령으로 당선된 후 거의 막내 격으로 정치에 입문했다. 여기서 선구자란, 한국에서 노벨상을 받은 유일한 인물을 의미한다. CD는 원래 법관을 하다가 선구자가 대통령에 당선되기 전에 정치에 입문했다.

당시 한국은 삼국지 비슷하게 경상도는 총독부, 충청도는 자의반, 전라도는 선구자 이렇게 몇 사람이 왕족으로 지배하는 정치 문화가 있었다. 총독부는 누구냐는 질문이 제기된다. 대통령에 당선된 뒤에 경복궁 한복판에 있던 총독부 건물을 폭파한 그 인물이다. 나는 총독부의 단호함을 참 좋아한다. 자의반은 누구냐, 이 사람은 원래 첫 번째 군사독재의 종사자인 군인이었는데 나름대로 고전에 통달해서 '자의 반 타의 반'이라는 명언을 남긴 사람이다. 선구자와 총독부는 원래 군사독재를 끝내려는 민주화 혁명이 계속되던 때 서로 후보를 단일화하지 않아서 군사독재자가 다시 당선되도록 하는 우를 범한 일이 있다. 그래서인지 총독부는 나중에 군사독재자와 합당해서 당선됐고, 선구자는 그다음에 당선됐다. 선구자는 자의반을 총리로 임명했다.

무슨 한국 현대사 수업같군.

즐겁게 읽어주기 바란다. 남미의 페루, 도미니카 공화국, 브라질, 멕시코, 아르헨티나의 군사독재 역사를 따로따로 공부하는 것보다 훨씬 압축적이고 재미있다고 믿어야 한다.

CD는 경상도 출신이기 때문에 전라도를 기반으로 하는 선구자의 집단에 합류하는 것에 큰 결단이 필요했을 것으로 짐작할 수 있다. 그럼에도 CD는 자기가 가진 안정적인 법관 지위를 내던지고 미래를 알 수 없는 시점에서 민주주의자로 도전하는 길을 선택했다. 그리고 전라도가 아닌 서울에서 출마해 당선됐다. 반면, 야누스는 선구자가 대통령에 당선된 후에 합류해서 줄곧 자기 고향인 전라도에서만 출마했다.

한국은 전통적으로 전라도 지역이 광주 학생운동, 광주 민주화운동 등 자유와 평등과 개혁을 추진하는 중심 역할을 해왔고, 그 성향을 굳건히 지켜왔다. 경상도 지역도 국채보상운동이나 2·8 민주화운동이나 부마민주항쟁과 같이 자유와 평등과 개혁을 추진하는 시민과 학생들이 많았지만 점차 군사독재의 혜택을 독점적으로 받으면서 안주하려는 사람들이 늘어나게 됐다. 그 이후부터는, 안주하려는 사람들은 경상도를 기반으로 하는 집단에 편입되는 경향이 생겼다.

야누스는 출생지가 전라도 지역이지만 안주하려는 성향이 강해 보여서 나는 이 사람을 야누스라고 부른다. 어떤 일을 하려고 할 때 관문이 되기도 하고, 양면성을 가지고 있기도 하다는 느낌을 받아서였다. 야누스가 전국적인 인지도를 취득한 것은 자살당한 인권변호사 친구를 대통령으로 둔 훈남이 대통령으로 당선된 뒤 야누스를 총리에 임명한 직후부터다.

야누스는 총리를 2년 넘게 잘했다. 그러다가 서울에서도 가장 유명한 곳의 국회의원 선거에 출마해서 내가 살던 동네에서 당선됐다. 이 선거가 서초대첩 이후에 있던, 바로 그 선거다. 야누스가 소속된 집단이 사무라이가 권한을 남용하지 못하도록 하겠다고 약속하고 정원의 3분의 2에 가까운 의석을 확보했다는 그 선거다, 이 말이다. 야누스는 경기 직후 곧바로 당에서 가장 중요한 접주의 지위에 올랐다. 실제로 공식 접주가 된 것은 약 석 달 반 뒤의 일이기는 해도 사실상 조직에서 가장 중요한 실력자가 됐다. 그리고, 단 하나의 구호만을 실천했다.

'사무라이 개혁하지 마, 우리는 사무라이 개혁하지 않는 것을 해낼 수 있어.'

여기서 이의가 제기된다.

정말 야누스가 그랬냐는 거다. 다시 강조한다. 내 느낌이 그랬다는 거다. 그게 모던보이와 관계있는 사건이다. 이게 내부자의 존재에 대한 의심을 굳힌 네 번째 사건이다.

원래 모던보이는 외관상 공화주의자 집단에 있다가 시장을 두 번 하고 도지사로 처음 선출됐었기 때문에 도지사를 두 번 더 할 수 있었다. 그래서 도지사를 그만두고 슈퍼볼에 나갈 필요는 없었다. 레니비에의 부인은 외관상 공화주의자 집단이 '사무라이 개혁하지 마, 우리는 사무라이 개혁하지 않는 것을 해낼 수 있어'라는 태도를 다져나가던 크리스마스 직후에 징역 4년을 선고받고 감옥에 갇혔다. 징역 4년은 정유·통신·아파트 사업체를 운영하는 대기업 회장이 456억 원을 사적으로 유용한 사건, 국가정보원장이 직위를 이용해서 직원들을 동원해 대통령 선거에서 조직적으로 댓글부대 활동을 한 사건, 면접 점수를 조작해서 13명의 직원을 채용한 국영 기업 사장 사건과 동일한 형량이다.

레니비에가 심리적 연좌제에 연루돼서 공직 후보로 나오지 못하게 하려는 계략이 있었다면 우선 성공했다고 볼 수 있는 결과이기도 했다. 그래서 외관상 공화주의자 집단에서는 딱 두 사람만 남게 됐다. 그렇게 되자 야누스는 외관상 공화주의자 집단에서 차기 슈퍼볼 경기의 선두주자로 올라섰다.

야누스가 약간 방심했던 순간이었다.

여기서 조금 빠뜨린 한국사 강의가 더 있다.

훈남 대통령의 친구인 전직 대통령이 자살당했을 때의 대통령과 그 직후의 여자 대통령은 대통령 자리를 이용해 거대한 부를 축적했다.『염소의 축제』를 넘어 하마의 축제라고나 할까. 그런데 두 사람은 퇴임 후 수사를 받고 감옥에 갇혔다. 여기서도 한국적 민주주의의 냄새를 맡을 수 있다. 민주주의 제도를 악용하는 사람들을 누군가가 나서서 감옥에 가둬주기를 열망하는 심사다. 아이스킬로스와 에우리피데스의 희곡을 읽은 사람들은 느낄 수 있을 것 같다.

바로 '데우스 엑스 마키나'(신의 기계적 출현)다.

한국에서는 이런 역할도 검사들이 해왔다. 누군가가 정상의 자리에서 몰락하는 것을 보는 것은 고대 그리스 시절부터 민중들의 바램이었다. 현대의 한국에서도 그렇다. 그래서 이제부터는 실제로 범죄가 발생했을 경우 직업윤리에 맞도록 수사와 기소를 한다는 의미에서의 검사 직분을 넘어 아예 권력을 창출하려는 사적 욕구로 불타는 사무라이들만 더 요약해서 마키나라고 부르기로 한다. 민주주의 원칙에 따라 선출된 사람들을 기계적으로 제거할 수 있는, 우주 최강의 힘을 부여받았기 때문이다.

짧은 한국사 강의는 여기서 마무리하고 다시 외관상 공화주의자 그룹에서 남은 두 사람 얘기로 돌아온다.

두 사람이 남기는 남았는데, 한 사람인 모던보이는 마키나가 수사하고 기소도 해서 재판까지 갔다가 살아 돌아왔다고 했다. 나머지 한 사람인 야누스는 아직 어떤 수사도 받은 일이 없다. 야누스가 외관상 공화주의자 집단에서 차기 슈퍼볼 우승 후보 1등을 하고 있었다는 얘기도 했다. 야누스가 모던보이를 경쟁자로 생각했었는지는 잘 모르겠다. 모던보이는 CD와 마찬가지로 태어난 곳은 총독부나 군사독재자들 그리고 하마의 축제 주역들의 고향과 같았다.

갑자기 야누스가 비리 혐의로 감옥에 갇힌 하마의 축제 주역들을 사면해주자고 공식 발표했다.

훈남 대통령을 뽑은 사람들은 대부분 실질적 공화주의자들이라서 공직자의 부패나 비리를 싫어한다. 그래서 야누스가 그 발언을 하자마자 사람들이 야누스를 싫어하게 됐다. 결국 모던보이가 외관상 공화주의자 그룹에서 차기 슈퍼볼 우승 후보 선호도 1위로 올라서게 됐다.

외관상 공화주의자와 내면적 왕당파 두 그룹이 항상 구별되는 것은 아니다. 왕조의 밈이 오래 자리 잡았기 때문에 공직자, 특히 대통령이 왕이라고 믿고 싶어 하는 사람들이 어느 편에나 있기는 있다. 그런 상태에서 외관상 공화주의자 그룹의 슈퍼볼 예선이 시작됐다. 모던보이는 마키나가 함부로 민주주의를 위협하지 못하게 하겠다고 했고, 야누스는 그런 얘기는 하지 않았다. 왕당파 그룹에서는 레드룸 패밀리가 내시와 환관처럼 활동하면서 추대하던 사람이 있었다.

레드룸 패밀리는 누구냐.

너무 많은 사람들이 한꺼번에 등장하는 것 같기는 하다. 레드룸 패밀리는 언론사를 운영하면서도 선거에 직접 개입하는 성향을 가진 사람들을 의미한다. 레드룸 패밀리가 동시에 환관과 내시, 그리고 왕족과 외척처럼 굴면서 응원하던 사람은 훈남 대통령이 마키나의 대대장으로 임명했던 사람이었다.

다른 사람들은 마키나의 대대장이었던 그 사람을 족발이라고 부르지만, 족발은 부적절한 혐오 표현이기 때문에 결단코 다른 단어를 사용해야 한다. 일단, 족발은 한국에서 잘 먹는 음식 중 하나다. 돼지의 발 부분을 끓여서 썰어 먹는 풍습에서 비롯됐다. 한국은 산이 많은 지역이라 농사를 지을 수 있는 평야가 드물었다. 그래서 양질의 단백질 섭취를 위한 경쟁이 치열했기 때문에 소와 돼지 등을 식용할 때는 거의 한 부분도 버리지 않고 다 먹었다. 뼈도 고아서 먹었고, 암세포가 많은 내장도 먹었다.

돼지 족발 요리도 거기서 비롯됐다.

마키나의 수장이 족발이라고 불리게 된 계기는 아마도 살이 많이 쪘고, 버스에서 구두 신은 발을 맞은편 좌석 위에 그대로 올린 장면이 공개됐기 때문일 것이다. 그러나, 살아있는 사람을 음식에 비유해서는 안 된다. 그것만은 인류 최후의 예의이므로 꼭 지켜주기 바란다.

나는 원래 마키나의 대대장을 참 좋아했다.

내가 다녔던 많은 전시를 기획하거나 관여한 사람과 결혼하기도 했고, 내가 감찰 청구 후 보복당했을 때 규정을 바꿔서 회사 내에서 사소한 트집을 잡고 늘어지지 말라는 지시를 하기도 했기 때문이다. 본성이 따뜻한 사람이라는 의미다.

그렇지만, 나는 어쩐지 Humble Octopus 계정을 시작할 무렵부터는 마키나 대대장이 맥베드를 연상시킨다는 생각을 하게 됐다. 아니나 다를까, 많은 예언가들이 마키나 대대장을 만났다는 소식도 들렸다. 레드룸 패밀리들이 홍보를 맡고, 마키나들이 경쟁자를 제거해주면 마키나 대대장이 외관상 합법적으로 슈퍼볼 우승자가 될 수 있을 거라는 계획이 아니었을까.

셰익스피어 작품 중 내가 가장 좋아하는 두 작품은 『맥베드』와 『리어왕』이다. 『맥베드』는 불안과 과욕에 관한 작품, 『리어왕』은 교만과 무능에 관한 작품이라는 생각이 든다. 맥베드는 처음에 귀신들의 예언이 세 번 적중되는 것을 보자 아예 맹신하게 됐다. 처음에는 작은 성의 영주가 될 것이고, 다음에는 큰 성의 영주가 될 것이며, 그다음에는 왕이 될 것이라는 예언이었다. 실제로 맥베드는 두 예언이 즉시 실현되는 것을 보자마자 자기와 친척인 왕을 죽이고 왕위에 올라 예언 세 개를 모두 실현시킨다. 그러나 맥베드는 그다음 예언을 잘못 해석해 제왕절개로 태어난 맥더프에게 패해 죽임을 당한다. 이 책에서는 마키나 대대장을 맥베드로 부르기로 한다.

다시 외관상 공화주의자 그룹의 슈퍼볼 예선 얘기로 돌아온다. 모던보이가 선두를 달리고, 야누스가 2등을 하고 있었다. 그때 야누스 쪽에서 모던보이가 시장으로 근무했을 당시 개발이익을 사상 최대로 환수한 사업에 무슨 비리라도 있는 것처럼 소문을 내기 시작했다. 여기서는 이걸 '환수 업적'이라고 부른다. 우리가, 여기서 한 가지 명심해야 할 점은 어떤 선거든 절대로 네거티브 이슈로 이길 수는 없다는 점이다. 그런데도 야누스는 욕심에 눈이 어두워서인지 실수를 하기 시작했다.

야누스가 그렇게 된 것은 야누스 혼자만의 잘못은 아니다.

그 그룹의 규칙에 과반을 차지하는 사람이 없을 경우 결선투표를 하라고 되어 있고, 후보가 사퇴할 수도 있게 되어 있었기 때문이다. 야누스는 막판에 조직을 동원해서 플레이오프에 가거나, 모던보이가 비리가 많은 것처럼 보도되도록 하고, 마키나로 하여금 모던보이에 대한 수사를 시작하도록 함으로써 2년 전 레니비에를 쫓아냈던 것처럼 모던보이를 사퇴시키려고 했던 것이 아닐까. 그리고 그렇게 하기 위해 1년 반 동안 마키나의 수사개시 권한을 완전히 박탈할 수 있었는데도 하지 않은 것은 아닐까.

그러나 결국 모던보이가 강렬한 공화주의자들의 응원에 힘입어 외관상 공화주의자 집단의 슈퍼볼 결승전 진출자로 선출됐다.

그런데 야누스가 환수 업적을 건드리는 순간, 생각지도 못한 반작용이 드러났다. 한참 전 트랜퀼과 리프킨 팀에 대해 얘기한 일이 있다. 내 친구 시장의 죽음에 대해 취재한 사람들이다. 이 팀은 환수 업적에 대해서도 깊이 취재했다. 그래서 모던보이의 환수 업적에 투자해서 이익을 얻은 업체로부터 수십억 원씩 기술적으로 돈을 받은 사람들이 모두 전직 마키나라는 사실이 알려졌다.

나는 이 순간 야누스의 반응을 주시했다.

만일 야누스가 정말 청렴과 공정을 위해 환수 업적에 대해 흠을 잡았다면 그런 환수 업적에 투자한 업체로부터 수십억 원씩 기술적 방법으로 돈을 받은 전직 마키나들에 대해서도 비판하고, 마키나들이 더 이상 수사권으로 민간인들을 겁박해 돈을 뜯어내는 행위를 하지 못하게 하는 일에 앞장서야 하지 않은가.

그러나, 야누스는 의원직에서 사퇴해버림으로써 책임을 내던졌고, 돈을 받은 사람들을 비판하지 않았다.

때로는 침묵이 많은 말을 하는 법이다.

내가 도사 공부를 했다는 얘기는 많이 했다. 나는 야누스가 실제로는 레드룸 패밀리, 맥베드와 합의해서 자기는 마키나를 이용해 모던보이, CD, 레니비에를 모두 제거하고, 마지막에는 슈퍼볼에서 맥베드를 이기려는 계획을 꾸민 것이 아닌가 의심하게 됐다.

의심만 했다는 의미다.

일기에 쓰거나 수첩에 기재하거나 하지는 못했다. 적으려다 딴생각이 나서 까먹었기 때문이다. 레드룸 패밀리로서는 맥베드가 이기나 야누스가 이기나 매수와 공매도 관계이기 때문에 손해를 입을 일이 없었다.

쇼스타코비치의 오페라 중 「므첸스크의 맥베드 부인」이라는 작품이 있다. 내연 관계를 위해 남편을 살해한 여성에 관한 오페라다. 슈퍼볼 예선 얼마 뒤부터 전시계의 큰손으로 알려진 맥베드 배우자의 생년월일이 알려지기 시작했다. 그리고 맥베드 부인이 큰 돈을 위해 사실상 맥베드와 마키나로부터 모든 문제에 관해 면죄부를 받을 것으로 예고됐다. 명리학 이론에 따르면 야누스, 맥베드, 맥베드 부인은 매우 잘 맞는 관계라고 할 수 있다. 셋 다 공통적으로 동양철학의 관점에서 의미하는 검은 쥐가 들어 있기도 하다.

쥐가 12마리의 동물 중 가장 앞에 나오는 이유가 있다.

동물 12마리가 달리기를 하는데, 가장 빨리 돌진하는 소의 머리 위에서 뿔을 잡고 가다가 결승선 바로 앞에서 점프해서 손쉽게 우승했기 때문이다. 4개의 기둥 중 쥐가 있는 사람은 머리가 좋다, 이 말이다.

아쉽게도 모던보이는 너무 가난하고 형제자매가 많아서 태어났을 때 생년월일시를 정확히 적어놓지 않았다. 그래서 동양철학의 관점에서 본인의 성품은 어떤지, 다른 사람과의 관계는 어떤지 알 수 없다. 그렇지만 나는 야누스와 맥베드 모두 마키나를 이용해 중간 경쟁자인 레니비에, CD와 모던보이를 제거하는 것까지 합의했다고 느꼈다. 그 합의를 중간에서 주재한 사람이 건설회사를 가지고 있는 숙박업자일 것이라는 추정도 그 무렵 매우 흥했다. 야누스의 동생이 그 건설회사의 사장이고, 맥베드 부인은 그 호텔에서 전시를 한 일도 있고『피가로의 결혼』이라는 프랑스 매체가 보도한 다른 일도 있기 때문이다.

야누스 일파가 외관상 공화주의자들 집단에서 슈퍼볼 결승 진출자를 선출하는 시기에 갑자기 모던보이가 환수 업적에서 거대한 죄라도 지은 것처럼 발언하자 환수 업적의 내용이 도대체 뭐냐면서 각자 리서치하는 사람들이 늘어나기 시작했다.

환수 업적은 이미 인구 밀도가 높고 부동산 가격도 높은 수도권의 한 지역에서 시행한 대규모 아파트 건설 사업을 의미한다. 미국으로 따지면 뉴욕과 바로 연결되는 뉴저지에 베벌리힐스와 같은 대규모 주택 단지를 건설하는 것과 같은 느낌이라고 생각하면 되겠다.

내가 버클리를 알게 된 계기가 바로 이 청렴 사업이다.

버클리는 빅데이터와 기업 회계 분석 전문가여서 나름대로 청렴 사업의 자금 흐름에 대해 공개된 모든 데이터와 자료를 분석했다. 버클리에 따르면 청렴 사업의 실체는 다음과 같이 정리

된다.

모던보이는 이 사업이 진행될 무렵 시장이었는데, 소속이 다른 집단의 온갖 반대에도 불구하고 공공 수익을 사상 최대 액수로 확보하고, 시행 업자가 아파트 가격 상승에 따른 사상 최대의 분양 대금 수익을 얻게 되자 시행 업자를 압박해 시민 공원과 터널 그리고 병원을 추가로 짓도록 했다. 시행 업자가 예상을 뛰어넘는 수익을 얻게 되자 예전에 그 업자의 뒤를 봐줬던 무리들이 넷플릭스 애니매이션 「러브, 데스 + 로봇」 시즌 3에 나오는 바다 연체류의 자손들처럼 달려들어서 돈을 받아내기로 약속을 받았는데, 후대에는 이 사람들을 '오밀리 클럽'이라고 부른다. 5million dollars씩 받기로 했기 때문이다.

야한 생각을 해서는 안 되는 대목이다, 이 말이다.

야누스는 예선에서 패한 다음에도 오밀리 클럽에는 관심이 없고, 오로지 환수 사업과 관련해서 마키나를 동원해 모던보이를 끌어내리는 음모를 꾸미는 일에만 집중했던 것으로 보였다.

나는 원래 야누스를 좋아했다.

키가 크고 반달눈이기 때문이다. 그렇지만 나와 같은 시민들은 누군가가 미디어와 마키나를 동원해 선동하는 것에 다른 동기가 있는지 의심을 가지고 탐구하기 마련이다. 리프킨과 버클리의 분석과 취재로 맥베드의 사촌이 내가 사는 동네에 있는 고급 주택을 시행 업자의 누나에게 판 사실이 드러났기 때문에 맥베드도 오밀리 클럽 멤버라는 의심이 강하게 들었다.

내가 이런 의심을 내 페이스북에 올리자 마키나가 나를 기소했다. 버클리는 자신이 분석한 내용을 자기 페이스북에 올렸다는 이유로 수사를 받게 됐다. 나는 그래서, 내가 기소된 사건의 변호사로 버클리를 선임했다.

왜 수사를 받는 사람을 변호사로 선임하냐는 질문이 들린다.

내가 기소된 사건과 같은 쟁점을 공유하고 있기 때문이다. 그리고 마키나의 위협에 굴복하지 않는 용기와 리서치 능력과 사물을 분석적으로 바라보는 시각을 가지고 있어서였다. 이제 버클리가 이 책에 왜 나오는지에 대한 설명이 끝났다. 힘겨웠다. 가장 가까운 현대사를 요약해야 했기 때문이다.

재판을 받게 된 사건과 내 친구 시장을 증거도 없이 변태로 몰아서는 안 된다고 했다가 응징을 받는 사건의 결말을 빨리 알려달라는 요청이 들린다.

이 책은 매우 중요한 기록이다.

출판사 관계자분들이 책이 두꺼워야 비싸게 받을 수 있다고 말해줬다. 여기까지 오는 것도 힘겨웠으나 내가 책을 내기 위해 출판사 주간님과 한 약속도 중요하다는 것도 말해주고 싶다.

벌써 결론을 알려줄 수는 없다.

스포일러는 약간 하겠다. 이제 조금밖에 안 남았다. 힘을 내야 한다, 이 말이다.

3부

# 의심스러운 싸움

# 분노의 포도

과일 이름이 나오는 작품으로 유명한 미국 작가가 있다. 존 스타인벡이다. 분노의 사과, 분노의 오렌지, 분노의 멜론, 분노의 오이, 분노의 살구 등 다양한 변형이 가능할 것 같은데 제목을 '분노의 포도'로 정했다. 우리 엄마가 항상 전집을 시리즈로 사주셨다는 얘기는 앞에서 했다. 그 세계문학전집에 『분노의 포도』가 있었다. 『바람과 함께 사라지다』도 있었고, 『개선문』도 있었다. 『누구를 위해 종은 울리나』도 있었다.

나는 『분노의 포도』를 별로 좋아하지 않았다.

마지막에 굶어 죽어가는 남자를 위해 갓 출산한 딸이 우유가 가득 담긴 자기 유방을 그 남자한테 내주는 장면이 나오기 때문이다. '우유'라고 하니까 오해의 여지가 발생한다. 딸이 소와 관련된 파시파에 같은 사람이라는 뜻이 아니다. 한국말로 우유가 영어로 단순히 'milk'이기 때문이다. 그런데 우리나라에서 'milk'는 또 어떤 종이 회사의 브랜드명이기도 하다.

우유와 모유와 종이가 다 밀크라니 혼란스럽다.

심지어 내가 아침마다 산책하면서 보던 이웃집 말티즈 이름도 밀크다. 원래 우리 집 고양이 중에도 우유에 오레오를 담가놓은 모양이라서 밀크로 부르려다가 털이 부드러워서 이름을 밍크로 바꿨던 사연이 있는 녀석도 있다.

다시 『분노의 포도』로 돌아온다. 젊은 여성이 굶어 죽어가는 남자에게 수유하는 부분이 그 책의 거의 마지막 장면이기는 한데, 12살의 나이에도 그 장면이 뭔가 남자들의 성적 판타지를 충족시키는 변태 같은 장면이라는 느낌이 들었다. 심지어는 순수하디 순수한 애니메이션 「플랜더스의 개」에서 네로가 숭배하는 화가 루벤스의 그림 중에서도 「아빠에게 수유하는 페로」라는 야하디 야한 작품이 있다. 애니메이션에 나오는 작품은 아니고, 그냥 루벤스의 작품 중 하나다.

너무 어렸을 때 도록에서 「아빠에게 수유하는 페로」 작품을 본 탓에 '분노의 딸기'가 더 마음에 들지 않았을 수도 있다.

맞다. 딸기가 아니라 포도다.

그래서 내 기억에 스타인벡은 변태 작가로 남아 있었다.

그 후 나는 책을 단권으로 사기 시작했다. 어른이 된 언니는 책을 계속 전집으로 샀다. 『기적의 시대』『소립자』『전도서에 바치는 장미』 이런 작품들이 들어 있는 전집이었다. 언니가 산 전집에 『의심스러운 싸움』이 있었다.

다른 책도 있었지만 지금은 특히 『의심스러운 싸움』이 생각난다.

물론 가장 인상 깊은 책은 그 때그 때 기분에 따라 달라진다.

『의심스러운 싸움』의 줄거리는 이렇다. 짐은 날품팔이 노동자들이 단결해서 임금을 올려 받으면 좋겠다는 소박한 희망을 품고 조직 운동가인 맥을 찾아가고, 맥은 짐과 함께 미국 동부의 사과밭에서 사과 따는 노동자들이 저축할 수 있는 수준의 임금을 받을 수 있도록 조직하는 일을 한다. 사과 노동자들은 사과 따는 일을 하기 위해 수만 에이커 면적의 사과농장에 날품팔이로 고용된다. 하루만 일하고 말 것이 아니기 때문에 사과 따기가 끝날 때까지 머물 텐트, 취사도구, 매일 먹을 식재료를 사야 하는데, 이를 사과 농장주가 고가에 공급하는 구조다.

사과 농장주는 노동자들이 딴 사과를 유통업자들에게 고가로 팔아 이윤을 남기는 것 외에도 텐트, 취사도구, 식재료를 염가에 사서 노동자들에게 고가로 팔아 막대한 이윤을 남긴다. 노동자들은 사과를 따서 번 돈으로 식재료 살 돈도 마련하지 못하게 되면서 결국 농장주에게 임금을 고리로 가불하게 된다. 농장주는 사과도 거저 얻고, 물건 판매 수익도 얻고, 고리대금업으로 이자도 벌게 되는 구조다.

일이 이렇게 되자 맥이 짐과 함께 임금 인상을 요구하는 파업을 주도한다. 파업을 하면 일당을 아예 받을 수 없기 때문에 식재료도 살 수 없게 된다. 그래서 처음에는 식재료를 조금 여유 있게 사다놓은 노동자들이 아예 아무것도 없는 노동자들과 서로 나눠 먹으면서 연대한다. 그러자 농장주는 저임금에도 일을 할 새로운 이주 노동자들을 사과밭에 투입한다. 주 정부는 주 방위군을 투입해서 파업 노동자들을 구금하기도 한다. 사정이 이렇게 되자 파업에 참여한 노동자들은 굶어죽거나, 빚을 지더라도 노동을 하거나, 아니면 구금되거나 셋 중 하나를 선택하게 된다.

결국, 하나둘 다시 저임금 노동에 참여하거나 아예 농장을 떠나는 사람들이 늘어난다. 그러던 어느 날 맥이 짐과 함께 한밤중에 급히 사과밭을 가로질러 노동자들을 도와주는 의사를 찾아나서다가 짐이 얼굴에 총을 맞고 사망한다. 맥은 파업 노동자들이 모여 있는 광장에서 짐의 사체를 들고 연단 위에 올라가 다시 한 번 단결을 호소한다.

결말 부분은, 맥이 파업 열기를 되살리기 위해 일부러 짐을 희생시켰는지 아니면 맥을 살해하려던 농장주와 주 정부측이 실수로 짐을 죽인 것인지 모호하게 표현되어 있다. 그래서 나는 이 책을 읽을 때마다 두 시나리오 모두 가능하다고 생각했다.

# 훈남 금성무

훈남은 마키나들에게 자살당한 인권변호사 출신 대통령의 친구였고, 대통령이 자살당한 지 8년 후에 대통령이 됐다. 훈남은 사무라이를 개혁하겠다고 약속했었다. 그래서 훈남이 가장 측근으로 데려간 사람이 레니비에였다. 그런데 레니비에는 가장 측근으로 마키나 출신들을 데리고 일했다. 나는 그 때 마키나 간부에 대해 감찰을 청구했다가 무능한 도사로 몰려 계속 징계를 당했다.

훈남은 시민이 국가를 상대로 한 소송의 1, 2심에서 승소하면 국가가 상고를 포기하는 것으로 정책을 결정했었다는 얘기는 앞에서 했다. 그런데 내가 마키나를 상대로 한 소송의 1, 2심에서 이겼는데도 상고를 허용했다. 그 때는 외관상 공화주의자 집단이 마키나에 대한 개혁을 하다가 말고 나머지는 포기할 것을 이미 명확히 한 상태였기 때문에 훈남 정부의 상고는 마키나에게 막강한 힘을 더 실어주는 결과가 됐다. 마키나 수장은 어떤 결정도 마음대로 할 수 있고, 따르지 않는 구성원을 마음대로 처분할 수 있다는 법리가 생겨났는데, 어떻게 마키나가 힘을 자제하겠는가.

항생제는 쓰다가 말면 바이러스에게 더 힘을 주게 된다.

그래서, 그 무렵에는 사무라이에 대한 개혁이 중간밖에 안 됐는데도 완성된 것처럼 광고하는 외관상 공화주의자 집단이 이곳을 다시는 되돌리기 어려운 '마키크론 바이러스'에 감염시킬 것 같은 불길한 예감이 들었다.

사회적·권력적 바이러스 외에도 진짜 바이러스 문제가 더 있었다.

훈남이 대통령이 되고 2년 약간 넘었을 때 전 세계적으로 스페인 독감 비슷한 강력한 호흡기 질환 바이러스가 창궐했다. 세상은 이걸 '코로나19'라고 부른다. 한국은 왕조의 밈이 강하다는 얘기를 했었다. 상층부에서 어떤 지시를 할 때 쉽게 복종한다는 의미다.

정부는 처음에 확진자 수를 통제하기 위해 확진자의 동선을 점검했다. 나중에는 걷잡을 수 없이 확산됐지만 당장의 확진자 수는 줄어들었다. 그런데도 정부는 확산 방지를 위한 통제 조치를 그대로 적용해 자영업자들의 영업을 제한하고, 여행을 금지하는 방법을 계속 사용했다. 나는 국가의 누가 코로나19를 이용해 왕당파의 세상으로 바꾸려고 했는지까지는 잘 모르겠다. 그렇지만 방역보다 자기 이익이 중요한 사람들이 꽤, 사실은 아주 많이, 여기저기에 퍼져 있었다는 사실은 느낄 수 있었다.

나는 이 업계에 들어오기 전에 엄마가 절대로 어디서 아쉬운 소리 하지 말라면서 건물을 사준 것이 있다.

그래서 나는 신랑 돈을 포함해서 다른 사람으로부터 금전과 관계된 어떤 거래 제안도 받을 이유가 없는 상태가 됐다. 그게 아니더라도 모르는 또는 업무 관계에 있는 사람으로부터 뭔가 받는다는 것에 대해서는 거부감이 있다. 적어도 더 붙여서 돌려줘야 된다는 심적 부담이 있는데, 그런 심적 부담을 가지는 상태를 싫어하기 때문이다.

『국화와 칼』을 읽은 사람들은 이런 심리를 이해할 수 있을 것 같다.

'온'이라고 한다.

일본 사람들은 남들이 도와달라고 하지도 않는데 도와주는 것이 다른 사람에게 온을 입히는 것이라는 사실을 잘 알고 있어 함부로 남에게 선물을 하거나 호의를 베풀지 않는다. 내가 딱 온을 싫어하는 타입이다. 가족이나 친척 아닌 남과는 온을 주는 건 괜찮은데 받는 게 싫다. 온 얘기를 하다가 옆으로 많이 샜다. 건물주라서 임대인이라는 얘기를 하다가 이렇게 됐다.

코로나19로 인한 영업시간 제한과 집합금지 기간이 2년 넘게 계속되자 내 건물의 임차인들이 월세를 밀리기 시작했다. 연락해서 사정을 물어보니 다들 너무 힘들다는 것이었다. 한 사장님은 학교 급식소에 식자재를 납품하는데, 반복되는 예고 없는 등교와 휴교 조치로 인해 그간 사둔 식자재를 모두 버릴 수밖에 없었음에도, 국가가 보상도 없이 대출로 연명하라고 해서 부득이하게 월세도 밀리고 나가게 됐다고 했다. 원래 성실한 분이라 보증금을 까먹으면 목돈을 날리게 될까봐 보증금은 다 채워서 보내드렸지만 내 건물 임차인뿐만 아니라 내가 자주 찾던 단골집 사장님들도 여행 제한과 영업 제한으로 인해 외국인을 주 고객으로 하는 영업을 예전처럼 할 수 없게 돼서 직원들을 다 내보냈다고 했다.

나는 업계에서 범죄로 입건된 사람들을 어떻게 할지 결정하는 일을 해왔다. 작은 직장이었더라도 직장이 어려워져 더 이상 다닐 수 없게 된 젊은이들이 생계의 마지막에 몰려 여성들은 성매매를 하려다가 적발되고, 남성들은 배달업을 하다가 사고를 내거나 당하게 됐다.

다들 어떻게든 먹고살려고 몸부림치다가 더 깊은 수렁에 빠지거나 올가미에 걸려 빠져나오기 어려운 상황이 되어가고 있었다는 말이다.

이 와중에도 정부는 사업이 망한 자영업자들에게도 과세했고, 세금을 못 내면 체납자로 만들었으며, 약간 살림이 나아진 서민들에게는 중과세를 했다. 자영업자들과 작은 사업체를 운영하는 사람들이 죽어가는데도 대출로 연명하라고 하는 와중에, 정부는 돈이 없다면서 영업손실 보상을 해주지 않았다. 원래 국가는 매년 12월 31일 기준으로 세입·세출이 ±0이어야 한다.

그런데, 나중에 정부가 60조 이상 예산을 남겼다는 사실이 드러났다. 그 때 사과를 따러 왔다가 빚더미에 앉게 된 날품팔이 노동자들과 부자가 된 농장주들이 떠올랐다.

그리고 은행은 기하급수적인 이자수익 증가로 사상 최대의 실적을 거뒀다.

한국은 대통령이 되면 지붕 색이 파란 관저에서 살게 되기 때문에 대통령 관저에 대해 청와대라는 고유명사를 사용한다. 여기서, 왜 한국어로 쓰면서 한국에 대해 계속 설명하냐는 질문이 제기된다. 몇 쪽 뒤에 밝히겠지만 일단 한국어로 쓴 다음에 영어로 번역해야 해서 그렇다.

머릿속으로 쓰면서 무슨 출판 얘기를 하냐는 질문도 제기된다. 앙 보그라는 그룹이 있다. 불어다. 철자는 'En Vogue'다. 애교부릴 때 쓰는 소리인 '앙~'이 아니다. 앙 보그의 가장 큰 히트곡이 「Free your mind」다. 매트릭스처럼 빨간 약을 먹지 않고도 조금만 자유롭게 생각하면 된다.

훈남도 원래는 서민들을 중시하는 것처럼 보였지만 청와대라는 관저에 들어가면서 점점 서민들과 멀어졌다. 훈남이 그렇게 하고 싶지 않았을 수도 있다. 그러나 훈남 곁에 있는 무수한 비서와 공무원들이 이미 '청와대 vs 그들'이라는 심리적 구도를 형성해놓은 상태였다. 그래서 훈남은 결과적으로 서민들의 외침을 외면하고 빚더미에 앉게 한 셈이 됐다. 다른 나라들은 국가 부채가 늘어났는데, 우리나라는 국가가 60조 원씩 더 이득을 얻고, 서민들이 빚만 더 지게 됐다.

또 질문이 들린다.

대통령도 서민들한테 관심 갖기 어려운데 오징어가 왜 흥분하냐는 질문이다. 잘 물어봤다. 나도 궁금했기 때문이다. 내가 초록 대리석이라는 얘기는 앞에서 한 것 같다. 그게 광물적 성질이 뭔지 설명하는 대신 이제 그게 동양철학과 어떤 관계가 있는지 설명할 시간을 마련하겠다.

대리석은 엄청난 압력을 받아서 생성되는 암석이다. 광채도 나고 무늬도 제각각이고 아름다워서 가장 비싼 건축물과 가구의 자재로 사용된다. 대리석은 건축과 가구의 자재로 사용됐을 때 작은 생채기에도 민감해진다.

동양철학에서는 '귀인'(precious person)이라는 개념이 있다. 경험상 측은지심(empathy, sympathy), 수오지심(integrity), 시비지심(righteousness), 사양지심(humbleness)을 모두 구비한 사람이 귀인이다. 이런 성품을 가진 사람들이 통계적으로 확인되는데, 그걸 귀인이라고 불러 왔다.

내 패턴은 다음과 같다.

| 연 | 월 | 일 | 시 | 시2 |
|---|---|---|---|---|
| 丙 | 辛 | 庚 | 辛 | 壬 |
| 辰 | 巳 | 丑 | 卯 | 辰 |

왜 시간이 2개나 되냐는 질문이 제기된다. 명리학에 'gradation 이론'을 새로 집어넣은 것이 내 이론이다. 11시 19분에 얼굴이 세상 밖으로 나오고, 11시 35분에 발이 나왔기 때문이다. 11시 30분을 중심으로 뭔가 나뉜다는 것은 복잡한 개념이므로 일단 그렇게만 알아두고 넘어가는 것이 좋다. 머리가 먼저냐 발이 먼저냐 고심했지만 그냥 둘 다 하기로 했다.

이렇게 되니 천을귀인이라는 귀격이 있고, 월덕귀인, 천덕귀인이라는 귀격이 두 번씩 겹치고, 재고귀인이라는 귀격이 붙었다. 다른 사람보다 패턴이 2개나 더 있는데 불공평하지 않냐는 질문이 제기된다. 불공평하지 않다고 말하고 싶다. 12월 31일 밤 11시 50분에 머리가 나오고, 1월 1일 새벽 1시 40분에 발이 나온 사람은 생년, 생월, 생일, 생시도 모두 두 개 아니냐 이 말이다. 이런 사람들은 패턴이 16개가 된다. 억울하면 심야에 머리 나오고 나서 최대 2시간 후인 다음 날에 발이 나오면 된다.

다시 내 패턴 얘기로 돌아온다.

분석해보면, 돈 걱정은 없는데, 측은지심과 수오지심과 사양지심과 시비지심이 지나치다보니 다른 사람의 작은 고통에도 생채기가 계속 생기는 모양새다. 그러다보니 출세와 거리가 멀어졌다. 계속 사양하고 옳고 그름을 가리는데 어떻게 출세할 수가 있겠냐 이 말이다.

그걸 두개골을 열고서야 알았다.

사람 성향이 안 변하거나 변해도 다시 원래 자리로 돌아오기 때문에 그냥 숙명으로 받아들이기로 했다. 이 결론을 '본성의 스프링 이론'이라고 할 수 있는데, 내가 그 이론의 창시자다.

자랑스럽다.

훈남은 외모가 금성무 비슷하게 훈훈하기 때문에 여성 유권자들의 절대적인 지지를 얻었고, 특전사 출신이어서 남성 유권자들로부터도 열광적인 환영을 받았었다.

그래서 이제부터는 훈남을 금성무로 부르기로 한다.

금성무는 법률가들 중에서도 바둑을 잘 둔다고 알려져 있었다. 원래 왕이 탄생하려면 신화가 만들어져야 하고, 비범한 능력이 있는 것처럼 얘기도 만들어져야 한다. 바둑도 그 중 하나였던 것 같다. 바둑이라는 게임은 구글 딥마인드의 알파고와 세계 최고의 바둑 고수 이세돌과의 담판으로 널리 알려졌다. 전쟁 게임 중 하나인데, 내 알을 빼앗기지 않고 정해진 면적에서 많은 영역을 확보하는 것이 룰이다. 알은 군사라고 생각하면 된다. 체스나 장기와 달리 알들은 모두 평등하다.

그래서 사람들은 금성무가 바둑 고수니까, 정치와 행정에서도 어떤 일을 할 때 가능한 모든 변수를 고려해서 신중하게 결정할 것으로 믿었다. 또, 금성무가 자살당한 대통령의 비서실장으로 근무할 때, 대통령의 지시사항을 이행하지 못하겠다고 하던 장관에게 "그러면 사표를 내라"고 단호하게 말했다는 일화가 있다는 소문도 있었는데, 그것도 금성무가 훈훈하기만 할 듯한 외모와 달리 단호한 면모도 있다는 신화를 창조하는 것에 적절히 일조했다.

금성무는 무수한 자영업자들과 중소기업 운영자들이 단돈 몇 푼이 없어 빚더미에 올라앉은 코로나19 와중에도 자영업자와 중소기업 운영자들에게 60조 원을 풀어 손실을 보상해주는 대신 신용카드를 더 쓰라는 장관을 해직시킬 정도의 뒷심까지는 부족했던 것 같다.

장관 덕에 신용카드 회사들은 역대 최고의 매출을 올리게 됐고 자영업자들은 사과밭의 날품팔이 노동자 신세가 됐다.

은행들도 역대 최고의 매출을 올렸다. 대출 이자 수입이 늘어났기 때문이다. 외관상 공화주의자들이 대다수인 집단과 왕당파가 활동하는 국회는 자영업자들에게 보상하는 예산안을 번번이 부결시켰다. 의회 대표는 원래는 외관상 공화주의자 집단 소속이었는데, 외국에 못 다녀서 한이 맺힌 도플갱어와 동거중이어서였는지 틈만 나면 수억 원씩 예산을 써가면서 해외여행을 다

넜다.

이렇게 부패와 무능이 심해질 때 나관중의 『삼국지』에서는 이런 표현을 쓴다.

'관료와 조정의 부패와 무능으로 백성들은 도탄에 빠지고 신음이 깊어졌다.'

한국의 왕당파는 그야말로 염소의 축제나 하마의 축제급이기는 하다. 그러나, 시민들이 외관상일지언정 공화주의자 그룹에서 대통령과 국회, 그리고 지방 정부의 대다수를 구성할 수 있도록 의견을 모아준 것은 시민들의 눈높이에서 청렴하고 유능한 모범이 되라는 의미 아니었을까.

여기까지 쓰다보니 무슨 토머스 페인의 논문처럼 보인다. 토머스 페인은 10년 간격을 두고 벌어진 미국 독립혁명과 프랑스 혁명을 모두 관찰했으며 프랑스 혁명기에 의회 의원을 지낸 영국의 정치철학자다.

페인이 미국과 프랑스에서 일관되게 시민의 자유와 권리 및 평등을 주장하자 미국 건국의 주역들은 페인을 멀리하기 시작했고, 프랑스 혁명은 발생한 지 10년 만에 나폴레옹의 황제정 선언으로 혼란에 빠지게 되자 왕정과 귀족정으로 되돌아가버렸다가 다시 황제정으로 복귀했다가 다시 공화정이 됐다. 이게 페인이 미국과 프랑스에서 정착하지 못하게 된 원인에 대한 버트런드 러셀경의 분석이다.

나는 약간 다르게 본다.

생텍쥐페리의 중편 『어린 왕자』에 나오는 시각으로 본다는 말이다. 『어린 왕자』에는 'B621 행성'을 발견한 터키 천문학자에 관한 얘기가 나온다.

B612던가?

학회에서 터키 옷을 입고 발표했기 때문에 사람들이 아무도 그의 말을 믿지 않았지만, 다음 학회에서 양복을 입고 발표했을 때에는 사람들이 열광했다는 내용이다. 그게 무슨 관계냐는 질문이 들려온다. 자살당한 대통령은 '역사 바로세우기'라는 운동을 통해 일본 제국주의 시대에 한민족을 배신하고 부를 쌓은 사람들과 후손들의 명단을 작성하는 일을 했었다. 공동체를 배신하고 돈을 번 사람들은 적어도 그 사실이 알려지는 불이익은 부담해야 한다는 명제는 바람직하기 때문에 좋은 일이라고 생각한다. 공동체나 민족이라는 개념이 실존하냐는 질문은 받지 않는다. 그에 관한 책을 읽다가 다 못 읽고 들어왔기 때문이다. 책을 쓴 사람들이 자기들도 '민족' '국가' '부족' '종족'의 의미를 정확히 정의하지 않고 마구잡이로 글을 시작했기 때문일 수 있다.

결코 내가 독서를 게을리해서가 아니라는 점은 분명히 밝혀두고자 한다.

한국에서는 해방 이후 독재자들이 그간 독립운동을 해 왔던 사람들이나 그 후손들 대신 일본 제국주의에 협력해서 지위와

돈을 쌓아온 사람들을 국가 정책 결정의 중요한 자리에 임명해 왔기 때문에 민족이라는 공동체를 중시해서 자기를 희생하는 사람들은 손해만 입는다는 인식도 널리 퍼져 있었다.

공동체에 대한 배신으로 승진과 치부하는 현상을 일반 사람들이 그냥 체념하면서 받아들여온 세월이 꽤 길었다는 의미다. 한국사 강의를 왜 또 이렇게 길게 하냐는 질문이 제기된다.

맞다.

이게 지능 있는 생물계에서는 널리 통용되는 심리 현상과 관련되어 있기 때문이다. 아울러, 금성무와 금성무가 임명한 장관들이 그런 심리 현상 때문에 동일한 실수를 했기 때문이기도 하다.

금성무는 친구가 마키나에 의해 자살당한 후 마키나를 개혁해야 한다는 주장을 줄곧 유지해왔다. 마키나 개혁의 핵심은, 우선 마키나들이 범죄를 저질렀을 때 그것을 수사할 별도의 기구를 만드는 것 하나와, 마키나의 수사 개시 권한을 박탈하고 마키나가 기소 여부만 담당할 수 있도록 하는 것, 그리고 사무라이가 아닌 독립운동가 검사들을 체계적으로 양성하는 것이었다.

그런데 레니비에와 CD 모두 마키나를 개혁한다면서 당시까지 핵심 마키나로 활약해왔던 사람들을 뽑아서 일을 맡겼다. 핵심 마키나의 자리에 가기 위해서는 개혁의 대상인 마키나의 생활 태도를 체득하고 실천해왔어야 했다. 개혁의 대상인 마키나의 생활 태도는 앞에서는 공정을 외치고 뒤에서는 사익을 위해 공정 원칙을 희생시키는 표리부동이다.

　내가 감동했던 주임검사 같은 사람은 중간에 못 견디고 나가게 된다.

　그러면 핵심 마키나들은 경로 의존성 원칙에 따라 마키나 개혁을 방해하는 선택을 할 텐데 레니비에와 CD는 그걸 예상하지 못했다. 아마 그 핵심 마키나들이 외관이 세련되고 태도가 얌전해서였을 것이다. 마키나의 부패와 비리를 가장 잘 아는 한 능력자는 마키나의 개혁에 핵심 역할을 할 능력과 역량이 있었는데도 마키나 개혁 과정에서 지속적으로 배제되고 모욕을 당했다. 그 능력자는 홍룡이라고 할 수 있는데, 명리학 이론에 따르면 붉은 용으로 그림을 그릴 수 있기 때문이다. 홍룡 얘기는 원래 한 챕터 정도는 썼어야 했는데, 기회를 놓치고 말았다. 나중에 또 얘기가 나오면, 홍룡은 여자라는 사실을 기억해주기 바란다.

　나는 레니비에가 취임했을 때 레니비에에게 홍룡을 마키나에 대한 감찰 관련 주요 직위에 임명하는 것이 좋을 것 같다고 메일을 보낸 일이 있다. 레니비에가 나에게 얘기를 들어보라고 보낸 사람은 홍룡 뒷담화를 했는데, 핵심 마키나들이 지어낸 얘기를 바탕으로 한 것이었다. 그 때 레니비에는 이미 핵심 마키나들에 의해 부인이 한밤중에 상장 사태로 엮어 기소된 상태였는데도 이 업계 내에서 거의 유일한 마키나 개혁주의자인 홍룡을 배척하는 핵심 마키나들을 믿고 있다는 것을 알고 몹시 슬퍼졌다.

실수는 실수지만, 인간적으로 탓할 수는 없다. B612 행성을 발견한 터키 천문학자를 알아보지 못한 것도 과학자들이었기 때문이다.

그래서 『어린 왕자』가 어른들을 위한 동화라고 하는 것이다.

어른이 된 후에도 계속 읽어야 한다, 이 말이다. 나도 『어린 왕자』가 몇 권 있었는데, 신랑이 미국에 갈 때 한 권을 같이 보내줬다. 레니비에 뒤에 온 CD도 마키나들이 함부로 표적을 정해 수사라는 이름으로 사람을 매장하지 못하게 할 수 있었는데도 미남 마키나들에게 속아서 절반만 일을 해놓고서 다 했다고 발표했다. 그 때 쓰다 만 항생제 생각이 계속 났다. 미래가 뻔히 보였기 때문이다.

내가 카산드라라는 얘기는 아니다.

그냥 업계에 오래 있다보니 마키나들의 움직임이 눈에 보이게 된 거다. 그러다보니, 결과적으로는 카산드라 비슷하게 됐다.

카산드라가 아무리 목마를 트로이성으로 들여오지 말라고 외쳐도 소용없었던 것이 내가 아무리 홍룡을 중용해야 되고, 마키나가 아무나 수사할 수 있는 권한은 없애야 한다고 외쳐도 소용없었던 것과 비슷했다는 의미다. 물론, 카산드라는 아름다운 공주이기 때문에 외모까지 비슷하다는 의미가 아니라는 것은 꼭 알아주기 바란다.

나는 겸허하기 때문이다.

아니나 다를까, 항생제에 내성이 생긴 마키나들은 재판정에서도 난동을 부려가면서 레니비에 부인에게 징역 4년이 확정되도록 만들었고, 무릎 부상으로 정상적인 병가를 얻은 아들을 둔 CD도 권력적 비리를 저지른 것으로 몰아 수사하다가 인사를 얼마 앞두고 수사를 중단했다.

그 와중에 마키나 수장은 마키나들을 동원해 판사를 사찰한 혐의로 징계를 받았는데도 CD만 쫓겨났다.

레니비에에게 반전의 기회가 없었던 건 아니다.

그 얘기를 하려면 대나무 숲처럼 거대한 푸르름을 형성하는 한 원로의 얘기로 넘어가야 한다. 넘어가기 전에, 금성무 부분을 마무리해야 한다. 두개골에 통증이 밀려오기 시작하면 어떻게 될지 모르기 때문이다.

명리학 이론에 따르면, 금성무는 본성이 맑고 유연한 지도자다. 그래서 청렴하고 정직하지만 치열한 다툼을 싫어하고 뚝심이 조금 부족하다.

결국 금성무는, 스스로 희망한 결과는 아니었겠지만 사람들의 생명을 우선 지키려고 방역에 올인하다가, 『의심스러운 싸움』에 나오는 농장주가 날품 노동자들이 노동을 하지 않으면 주 방위군을 이용해 잡아가겠다고 협박하고, 노동자들을 이용해 물건도 팔고 이자 수입도 얻었듯이, 자영업자들에게 방역 조치에 협조

하도록 부담을 준 뒤, 순순히 코로나19 방역 조치에 협조한 자영업자들을 이용해 은행에 이자 수익을 늘려주고, 신용카드 회사 수익도 높여주고, 세금도 60조나 더 걷었는데, 보상은 거의 나 몰라라 한 장관들에게 이용당한 결과가 됐다.

결과가 그랬다는 의미다.

금성무 주변에는 60조를 시민들에게 보상으로 지급하는 대신, 다른 거래라도 일으키면 부스러기가 떨어진다는 진리를 아는 사람들이 꽤 있는 것 같다.

세상이 그렇게 돌아가나보다.

# 대나무숲

원래 한 유명 미디어 기자를 했던 원로가 있다. 그 때는 독재국가 시대였고, 한 사람이 젊은이들을 죽여가면서 독재를 계속한 지 15년이 되던 시기였다. 그 원로의 회고에 따르면, 당시 원로는 독재 정치 미화를 견디다 못해 회사를 박차고 나와, 사람들이 독재에 반대하는 글을 마음대로 쓸 수 있는 환경을 조성하는 데 조금이나마 도움을 주기 위해 출판사를 열었다. 폐업 위기도 겪고, 잡혀가기도 했지만 그 때마다 위기를 모면하고 출판사를 더 훌륭하게 키워왔다.

그 출판사 이름이 페도라 퍼블리싱이다.

대표가 많은 모자의 양식 중 한결같이 페도라 스타일만 쓰기 때문이다.

그게 인생의 진리일 수 있다. 우리는 path dependency 법칙을 따르기 때문이다.

선택의 갈림길에서 어떤 방향을 선택한 사람은 비슷한 상황에서 같은 선택을 할 가능성이 크다는 심리 법칙이다. 성향은 타고

나기 때문일 수도 있다. 어느 시기에나 권력과 돈을 따르는 사람은 시간이 흘러도 돈이나 권력을 좇고 있는 모습이 발견된다. 그러나 어떤 시기에나 가치를 따르는 사람은 시간이 흘러도 가치를 따르는 모습이 발견된다. 소속 소집단의 우두머리를 따르는 사람은 나중에도 그렇게 된다. 현대적으로는 부족주의자라고 할 수 있다.

내가 일산에 있는 연수원에 다닐 때 주로 아도니스가 운전하고, 그 옆에 앉아 같이 다녔다는 얘기는 앞에서 했다. 아도니스는 그 무렵 넓은 집을 구해 서재를 마련했기 때문에 서재에 꽂을 책이 필요했다. 마침 일산과 가까운 곳인 파주에 출판도시와 헤이리 예술마을이 새로 만들어졌다. 그래서 나와 아도니스는 주말마다 출판도시와 헤이리에 있는 페도라 퍼블리싱에 갔다. 거기서 『문명화과정』『음란과 폭력』『예루살렘의 아이히만』『공화국의 위기』등 거창한 제목의 책들을 많이 샀다. 일단 한 출판사에서 산 책이 마음에 들면 시리즈로 계속 사게 된다.

나는 그 출판사가 정말 마음에 들었다.

건물도 훌륭하고, 뉴욕 구겐하임 미술관처럼 천천히 경사를 올라가면서 책을 고를 수 있도록 되어 있는 실내 디자인도 마음에 들었으며, 그 안에 레스토랑이 있었기 때문이기도 하다. 그래서 그 출판사 관계자들은 아무도 몰랐겠지만, 그 출판사에서 일하는 모든 사람들이 2003년부터 내 친구가 됐다. 주말마다 가서 종일 있었기 때문이다.

지금은 우리 아빠 산소가 파주에 있다. 지금도 주말마다 아빠 보러 갔다 오면서 들른다, 이 말이다.

서두가 많이 길었다.

내가 나 혼자 좋아하거나 존경하는 사람들을 친구로 하고, 그 사람들은 내가 자기들 친구라는 사실을 알지 못하는 일이 많다는 얘기는 앞에서 했다.

페도라 퍼블리싱 대표는 독재국가 시대에 억압받고 수감된 사람들의 글을 많이 출판했다. 억압과 박해를 혐오하는 성격을 넘어 박해받는 사람들에게 자신의 목소리를 들려줄 기회를 적극적으로 주는 사람이라는 뜻이다. 자기 회사가 위험에 처해도 아랑곳하지 않는 꼿꼿한 분이다, 이 말이기도 하다.

그래서 나는 이분을 대나무라고 생각했다.

원래 대나무는 뿌리를 통해 숲을 이루고, 그 숲에 많은 동식물을 거둬주는 습성이 있다. 그래서, 그냥 하나의 대나무라기보다는 대나무 숲이라고 부르기로 했다.

레니비에는 마키나를 개혁하겠다고 여러 해 전부터 공언했다가 장관에 취임하자마자 마키나에게 보복을 당해 배우자가 기소되고, 자기도 쫓겨났으며, 감옥에 갇히기 직전에 풀려났으나 계속 재판을 받게 됐다는 얘기는 앞에서 했다. 레니비에는 원래 다양한 출판사에서 꽤 많은 책들을 냈지만 막상 레니비에가 마키나로부터 곤경을 당하게 되자 많은 사람들이 외면하는 것이 눈에 보였다. 이때 대나무 숲이 레니비에가 상장 사태와 서초대첩을 겪으면서 느낀 심경을 책으로 발표할 기회를 마련해줬다. 서초대첩에 참여했던 많은 사람들, 그리고 마키나의 권한 남용으로부터 시민의 자유와 권리를 지켜야 된다고 생각하는 사람들이 앞다퉈 책을 구입했다. 그게 상장 사태가 발발한 지 약 2년 후의 일이었다.

책은 날개달린 듯…이라고 하면 너무 진부한 표현이겠다. 인쇄소가 주문량을 맞추기 어려울 정도로 불티나게 팔렸다. 10년 전에 정치가 생활이라는 사실을 재미있게 알려준 책 『Be quiet and Be politicus』(닥치고 정치)가 50만 부 정도 팔렸었는데, 출판계가 많이 위축된 상태에서도 거의 그에 육박할 정도로 레니비에의 책이 많이 팔리던 중이었다. 조금 더 있으면 100만 부도 넘어갈 기세였다.

이 정도 되면 레니비에가 억울하게 마키나로부터 당했다는 사실을 대중이 공감한다는 표시가 될 수 있다.

그러자 외관상 공화주의자 집단이 급하게 움직였다. 의회에서 법안 통과를 저지할 수 있는 문지기 역할을 하는 위원회 위원장을 마키나 개혁 반대가 공식 입장인 결사에게 넘겨준다는 약속을 했다고 발표한 것이다.

야누스는 성명을 내고 "약속은 지켜야 한다. 그것이 약속이니까"라고 말했다. 고이즈미 총리의 아들인 장관이 "환경 정책은 중요하다. 그것이 환경이니까"라고 말한 것과 비슷하다. 그 때까지만 해도 야누스는 외관상 공화주의자 집단에서 마키나의 수족을 잘라내고 머리만 남길 수 있는 조치를 할 수 있는 지위에 있었다. 그러나 마키나의 수족을 잘라내는 조치를 할 수 없게 되는 마지막 대못을 박아버린 것이다. 누군가에게 레니비에는 반드시 범죄자여야 하고, 상장은 범죄여야 한다는 내부자들의 입장이 레니비에의 명예 회복을 절대적으로 방해하는 방향으로 움직인 것이다.

그로부터 8개월 뒤 레니비에의 부인은 상장을 가짜로 만들었다는 혐의로 징역 4년이 완전히 확정됐다. 상장 사태가 발생한 지 2년 5개월 만이다. 반면 맥베드 부인은 취업을 위해 경력을 가짜로 써낸 것에 대해서 본의가 아니었다는 기자 회견만으로 끝났다.

맥베드 부인이 돈을 많이 벌었었다는 얘기는 하고 넘어가야 겠다.

레니비에 부인은 그 정도는 아니라는 사실도 언급해야겠다. 『국화와 칼』 얘기가 한 번 더 나와줄 시간이 됐다. 일본의 문화에 대해 크게 세 가지 주제가 나오는 책이다. '온'은 그전에 얘기했다.

『국화와 칼』에서 가장 먼저 나오는 주제가 '각자 자기 자리에 있어라'라는 문화적 불문율이다.

두개골을 막 열었을 때 읽은 책이라 세세한 내용은 잊었지만, 경제적·정치적·사회적 신분 상승을 꿈꾸는 사람들은 집단적으로 응징되는 문화라는 내용이다. 부모가 일본계인 세계적 작가 가즈오 이시구로의 『나를 보내지 마』『클라라와 태양』등의 소설에서도 등장인물들은 억압적이고 착취적인 환경을 그냥 순순히 받아들인다. 두 책을 읽었을 때 남의 나라 얘기라고 생각했다. 그런데 아직도 자기들이 식민지 시대 천황의 하수인이었다는 지위를 중요하게 생각하는 팀이 있다. 한국은 1890년대부터 일본의 영향을 받았고, 36년간은 법률적으로, 그리고 물리적으로도 일본 제국주의의 지배를 받았다.

레니비에처럼 독립운동을 한 집안 출신이면 어떻게든 사회적 계층 상승의 사다리에서 공개적으로 미끄러져야 한다는 의미일까.

그 바닥이 그렇게 돌아가나보다.

물론, 아직 레니비에는 끝나지 않았다. 대나무 숲은 레니비에가 당하고만 있지 말고, 마키나 개혁을 위한 시민운동에 나서야 한다고 주장했다. 공격이 최선의 방어이므로. 그러나 레니비에가 움직였다는 소식은 듣지 못했다. 움직이기도 전에 포획됐다는 소식도 듣지 못했다.

나는 여기 들어오기 전에, 야누스의 비서가 맥베드 편에 붙었다는 소식을 들었다. 야누스의 비서는 원래 일제 강점기의 매국노에 대해 연구하던 사람이었다. 다들 그렇게 때가 다가오니 제자리를 찾아가기 시작했다. 야누스는 슈퍼볼이 다가오자 금성무와 모던보이가 한 팀을 구성한 쪽으로 자리를 잡는 것처럼 보였다.

슈퍼볼은 모던보이가 이겼다.

금성무가 슈퍼볼 직전에 더 건 60조 중에서 10조 원 정도를 현금으로 풀었기 때문이다.

원래 선거라는 게임에는 불문율이라는 게 있다고들 했다. 『독재자의 핸드북』에 나오는 말이다. 시민들을 온전히 위해주면 더 이상 후원금도 안 들어오고 다시 뽑히지도 않기 때문에 굶어죽지 않을 정도로만 위해줘야 한다는 룰도 그 중 하나다. 기력을 잃어가던 맥의 파업 시도가 짐의 죽음으로 기사회생하는 장면을 읽으면서도 믿고 싶지 않았던 룰이다.

모던보이도 유연한 사람이라는 얘기를 앞에서 했던가?

모던보이는 목적을 위해 유연한 방법을 쓰는 사람이었다. 야누스를 끌어오는 조건으로 야누스가 맥베드 부인과 맺은 이면 합의의 존재, 맥베드와 맺었던 마키나 협상을 모두 묻어주기로 했다. 그건 오밀리 클럽, 내 친구 시장의 자살과 관련된 진실을 영원히 덮는다는 의미다. 그 결과 오밀리 클럽, 내 친구 시장의 자살과 관련된 진실을 파헤치던 우리들은 모두 따로따로 잡히고 말았다.

우리들이 순순히 잡힌 건 아니다.

심지어 슈퍼볼 우승자는 시상식이 있을 때까지는 구속될 수도 있다. 모던보이는 환수 업적에 대해, 업자들로부터 1조 원을 환수할 수 있었는데 8,000억 원밖에 환수하지 않았다는 혐의로 엮였다. 아마도 왕당파와 외관상 공화주의자들이 꾸민 각본의 마지막 관문이 모던보이가 슈퍼볼을 차지할 경우에 대비한 비책이 아니었을까. 그렇게 모던보이도 슈퍼볼 직후 시상식 직전에 갑자기 구속 기소됐다. 그래서 슈퍼볼 우승자가 맥베드로 바뀌었다. 야누스는 다시 총리가 됐다.

로버트 그린의 세계적 명저 중 『전쟁의 기술』이라는 책이 있다.

전쟁을 할 때 병력이 적으면 게릴라전을 하고, 병력과 물자가 충분하면 전면전을 하라는 내용이 들어있다. 우리는 각자 열심히 게릴라전을 했었다. 우리들끼리는 점이었으며, 서로 선이나 면으로 연결되지 않았다. 그래서 각자 따로따로 잡혔다. 맥베드와 레드룸 패밀리들은 야누스 아우들과 함께 단계별로 각본을 잘 짜서 결국 원하는 결과를 만들어냈다. 그런 머리를 자국민 고혈을 짜내는 것이 아니라 세계 제패에 써줬으면 좋겠다. 물론, 세계를 제패하면 식민지 시민의 고혈을 짜게 되니까 오십보백보라고 할 수도 있겠다.

며칠 전에 면회 온 영국인 제부로부터 그동안 쓴 작품을 영어로 써서 영국에서도 책으로 내자는 제안을 받았다.

그래서 어제부터 번역을 시작했다.

종이와 필기구가 없기 때문에 머릿속에서 마흔네 번도 넘게 고쳐 썼다. 이제 전달하기만 하면 된다. 지금 와서 생각해보니 처음부터 영어로 썼어야 했는데, 책 쓰자는 말을 누가 했는지 까먹어서 한국어가 됐다.

내가 알기로 모던보이를 빼고 우리들은 모두 재판 없이 갇혀 있다. 존 맥스웰 쿠시의 소설『야만인을 기다리며』의 주인공 판사도 이유 없이 탄압당하는 야만인을 도와줬다는 이유로 재판 없이 감옥에 갇혔다. 언제 나가게 될지 모르겠지만, 왕당파들은 아마 와타나베 마사코의 만화『유리의 성』에 나온 마리사처럼 가둬두고 싶어 하는 것 같다.

후회하냐고?

Never.

# 에드몽 당테스처럼 탈출하기

• 프롤로그

프롤로그를 뒤에 쓰는 게 맞냐는 질문은 받지 않겠다.

우리 가족이 모두 산꼭대기에 산다는 말은 했다. 동생 집은 남산에 있다. 런던에 살기 때문에 남산 집은 거의 비어있다. 어느날 동생 집을 청소하러 갔다가 성곽길을 따라 장충동으로 내려오는 길에 리모델링을 위해 비워놓은 집 앞을 지났다.

어린아이 둘이 작은 고양이에게 소시지를 주고 있었다. 고양이를 관찰하니 많이 아파 보였다. 그래서 바로 안고 장충동으로 내려와 동물 병원에 갔다. 레볼루션을 주고, 바이러스 예방주사도 맞히고 검사도 했는데, 고양이 폐렴 말고는 병이 없다고 했다.

돌아오는 길에 같은 집 앞에서 어린아이 둘이 "한 마리 더 있어요"라고 했다.

요망한 것들, 아까 말했어야지.

집 안으로 들어갔더니 작은 상자 안에 더 아파 보이는 고양이가 한 마리 더 있었다. 두 마리를 그대로 안고 같은 병원에 다시 갔다. 두 마리 모두 태어난 지 두 달 된 아가들이었다. 먼저 구한 아가는 멸치고, 나중에 구한 아가는 꽁치다.

지금 우리 집에는 멸치와 꽁치 말고도 몇 년 전에 구조한 나비와 밍크, 흰돌이, 깔짝이도 있다. 빈집에서 아가들이 집사 왜 안 오냐고 기다리고 있다고 들었다.

비밀을 하나 알려주겠다.

절대로 발설하면 안 된다. 여기 들어올 때 두개골 접합용이라고 우기면서 임플란트를 머리에 끼워 가지고 온 게 있는데, 이게 티타늄과 알루미늄 합금이다. 우주선 만들 때 쓰는 재료다, 이 말이다. 오빠가 탄소 섬유로 테슬라 껍질을 만들어주고 나서 몇 년 뒤에 연구했다고 나한테도 보내줬다. 아무도 몰래 두개골에서 빼내서 그걸로 굴을 판 지가 꽤 됐다.

우리 집에 있던 건축물 설계도 중 싱싱 교도소, 알카트라즈 교도소, 파놉티콘, 서대문형무소 등 각종 교도소 설계도가 있었다는 얘기도 했던가?

잘 알려지지 않은 사실인데, 교도소 설계는 거의 비슷비슷하다. 각 방에서 나오는 오수 배관과 하수도 배관이 층마다 하나로 모여 있다. 내 방에 들어오는 쥐들의 체온과 물 내려가는 소리로 미루어 볼 때 내가 있는 곳은 1층 끝에서 두 번째 방이고, 하수도 배관이 바로 옆에 있다는 것을 들어온 다음 날 알았다.

여기 들어온 첫날부터 사식으로 난초가 들어 있는 라면을 달라고 요구했는데, 매번 카레라이스를 가져왔다. 내일도 난초가 들어 있는 라면 대신 카레를 점심으로 가져오면 도저히 참을 수 없을 것 같다는 기분이 든다.

적어도 한 달에 한 번은 라면을 먹어줘야 하기 때문이다.

카레는 여기서 친해진 쥐며느리와 쥐와 바퀴벌레에게 양보하고 나는 앤드류 듀프레인이나 에드몽 당테스처럼 탈출해야지.

잠깐, 바퀴벌레를 tirebug라고 번역할 뻔했다.

사실은 wheelbug인데 말이다.

휴, 큰일날 뻔했네.

*Green Marble*
by Chenleejean Hyewon
Published by Hangilsa Publishing Co. Ltd., Korea, 2022.


초록 대리석

**지은이** 진혜원
**펴낸이** 김언호

**펴낸곳** (주)도서출판 한길사
**등록** 1976년 12월 24일 제74호
**주소** 10881 경기도 파주시 광인사길 37
**홈페이지** www.hangilsa.co.kr
**전자우편** hangilsa@hangilsa.co.kr
**전화** 031-955-2000 **팩스** 031-955-2005

**부사장** 박관순 **총괄이사** 김서영 **관리이사** 곽명호
**영업이사** 이경호 **경영이사** 김관영 **편집주간** 백은숙
**편집** 박희진 노유연 최현경 강성욱 이한민 김영길
**관리** 이주환 문주상 이희문 원선아 이진아 **마케팅** 정아린
**디자인** 창포 031-955-2097
**인쇄** 예림 **제책** 예림바인딩

제1판 제1쇄 2022년 9월 2일

값 16,000원
ISBN 978-89-356-7771-9 03810